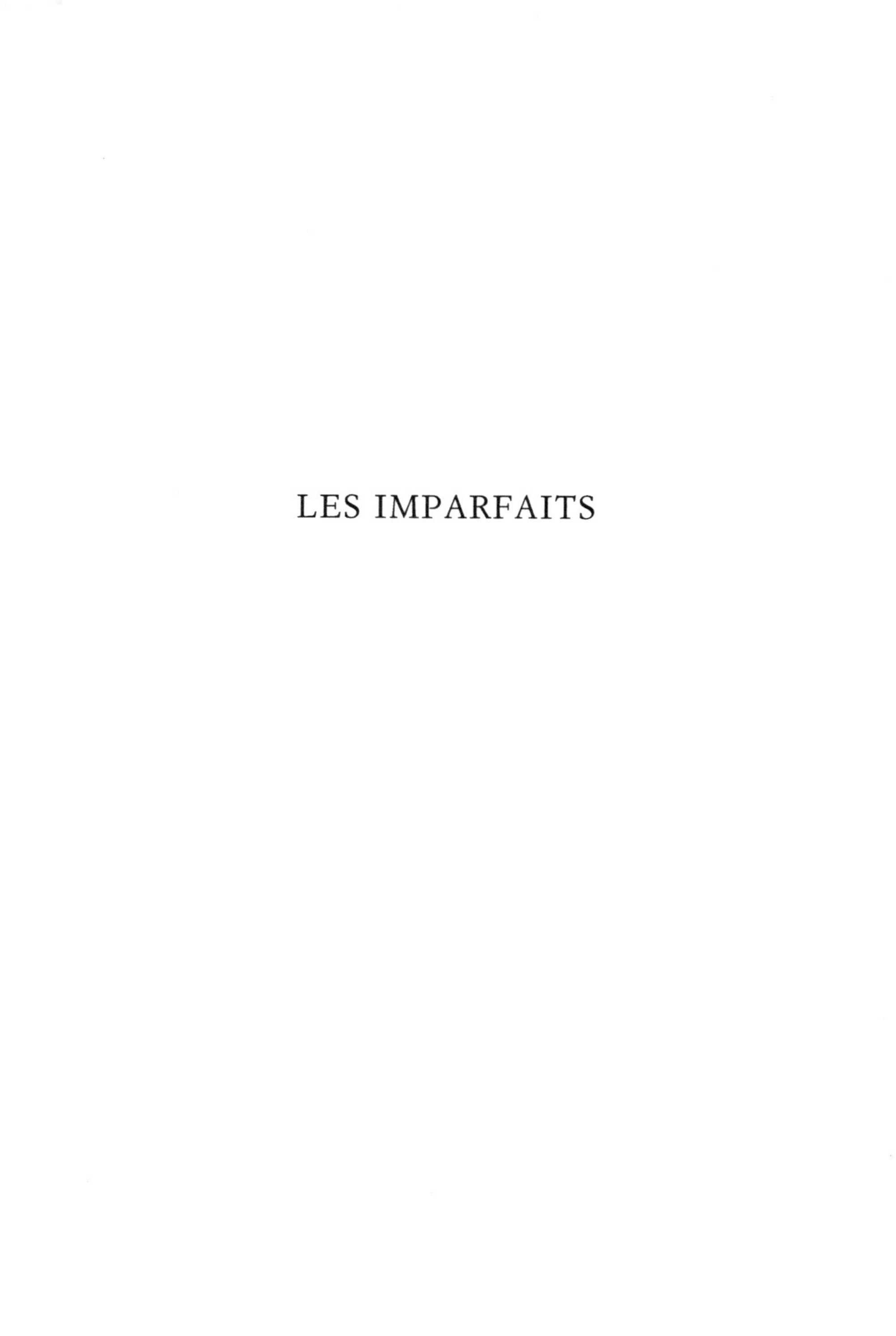

LES IMPARFAITS

SANDRINE YAZBECK

LES IMPARFAITS

roman

ALBIN MICHEL

À Dermot

« Nous sommes tous capables de croire à des choses que nous savons fausses et, lorsque l'on nous démontre que l'on a tort, de réarranger les faits impudemment pour prouver que l'on a raison. D'un point de vue intellectuel, il est possible de poursuivre ce procédé indéfiniment : le seul accroc est que tôt ou tard une conviction erronée se heurte à la réalité, généralement sur un champ de bataille. »

George Orwell

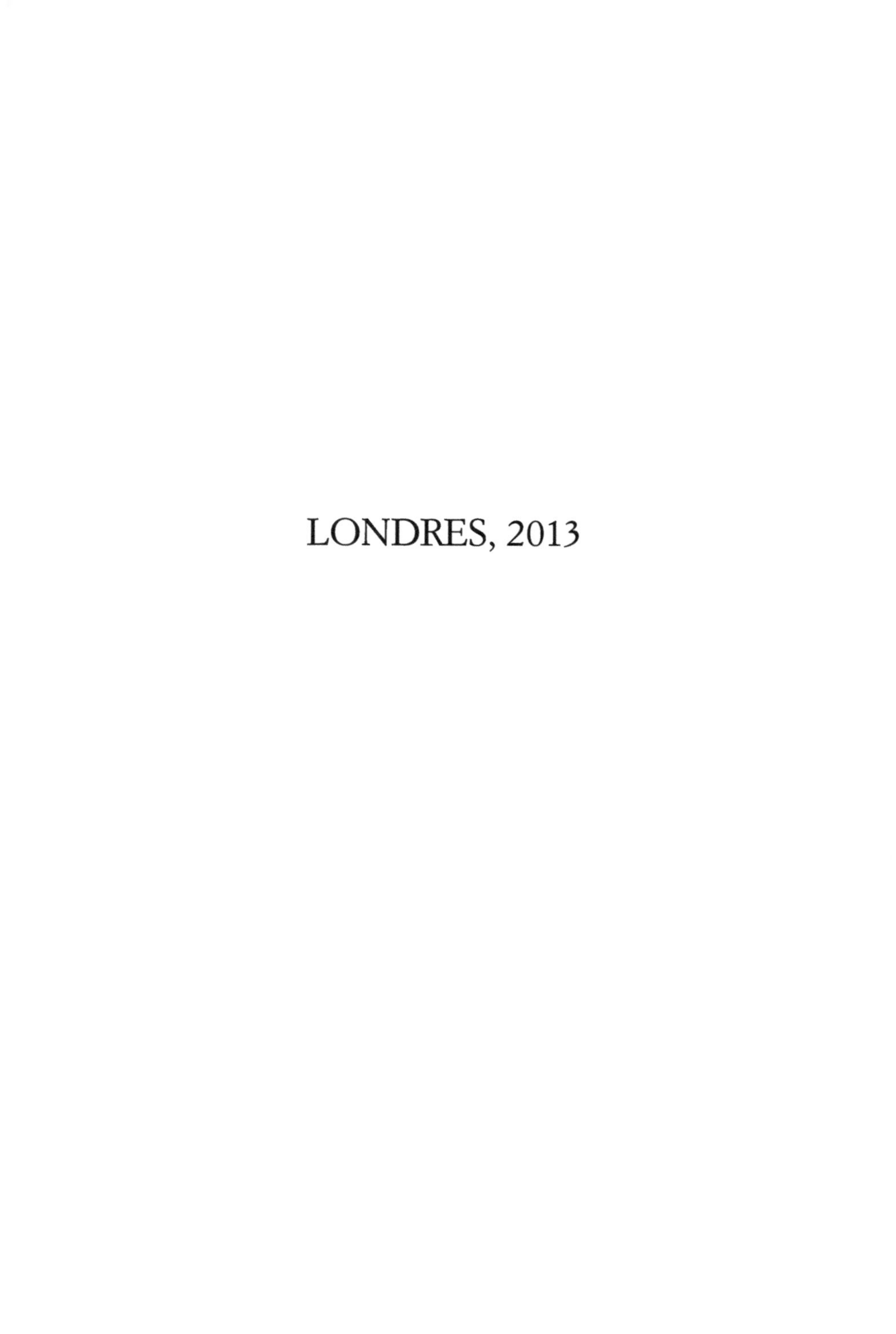

LONDRES, 2013

1

Gamal

Adossé au coffre rouillé de ma voiture, je regardais les arbres nus de l'hiver et les filets de tennis de Burton Court qui disparaissaient sous la neige. Le vent glacé qui pénétrait par la porte du garage agitait la carte postale que je tenais encore à la main. Dans le garage, tout était en place tel que je l'avais laissé. Une fine couche cendrée recouvrait la Bentley et les piles de journaux que j'avais entassées contre les murs au cours des années. « Pourquoi donc t'embarrasses-tu de cela ? avait demandé Clara. Tu sais que tu ne reviendras jamais les lire. » Comme souvent, elle avait raison. Cela faisait cinq ans que je n'étais pas descendu là, cinq ans déjà que mes jambes arthritiques et déloyales avaient rendu ce périple insurmontable. Mais ce jour-là – comment l'oublier ? – on m'avait donné une excellente raison de me surpasser.

Howard venait de quitter ma bibliothèque, comme il le faisait chaque matin à dix heures précises après notre revue de presse, laissant derrière lui une montagne de journaux désordonnés. Je riais encore des déboires ubuesques du président du Conseil italien embourbé dans les méandres du « Rubygate » lorsque j'aperçus, dépassant des pages du magazine *Foreign Affairs*, un petit avion jaune sur fond bleu, un logo dont la simplicité contrastait avec l'épineuse question de couverture : « Peut-on sauver l'Amérique ? » Tirant délicatement sur le feuillet, je vis apparaître une confirmation de voyage : il s'agissait d'un aller-retour Londres-Naples, assorti d'une réservation d'hôtel à Positano au nom d'Howard. Or celui-ci devait partir en convalescence en Floride, comme il m'en rebattait les oreilles depuis des semaines. En n'importe quelle autre circonstance, je n'y aurais pas accordé d'importance. J'ai toujours considéré que si l'un de mes amis mentait, c'était qu'il avait probablement une bonne raison de le faire. Mais cette fois-ci, c'était différent. Dans le mensonge de cette matinée d'hiver, tout m'avait interpellé.

Pourquoi Howard allait-il à Positano en plein mois de janvier alors que son médecin lui avait ordonné de passer les huit prochaines semaines dans un établissement de repos au soleil ? À Positano où il pleuvait, faisait froid, où les restaurants et galeries d'art étaient fermés, lui qui ne supportait pas la solitude, alors qu'il n'y avait pas cent personnes à la ronde à cette époque de l'année ? À Positano, le village où ma femme, qui s'était volatilisée cinq ans auparavant, avait passé sa jeunesse ? Difficile de croire que ce voyage n'ait rien à voir avec elle : Howard ne pouvait pas aller sur la côte amalfitaine fin janvier pour se remettre de la pneumonie qui l'avait laissé exsangue. Alors pourquoi ? Se pouvait-il que Clara soit là-bas ?

Clara m'avait confié il y a plus de trente ans, quand nous avions emménagé ensemble, la seule photo qu'elle avait conservée de la maison dans laquelle elle avait grandi avec ses cousins. « Je veux garder cette photo, avoir quelque chose de mon enfance. Mais je ne veux pas la voir, tu comprends ? » avait-elle expliqué. Elle n'était jamais retournée sur la côte amalfitaine, du moins à ma connaissance, depuis l'accident qui avait coûté la vie à ses parents quand elle était adolescente. Se pouvait-il qu'elle ait renoué avec son passé ? Il me fallait en avoir le cœur net. Retrouver la photo, identifier la maison, la localiser sur Google Earth, trouver son adresse, le numéro de téléphone et appeler. Et qui sait ? Parler à Clara peut-être…

À contrecœur, je m'étais décidé à braver la volée de marches qui me séparait du garage abritant la Bentley bleue sans âge dans laquelle j'avais enfoui les objets de mon passé. Elle ne pouvait plus rouler et je ne pouvais plus conduire, mais je n'avais jamais pu me résoudre à m'en débarrasser. Elle me rappelait celle que mon père passait des heures à entretenir, sous la brise hoquetante de son vieux ventilateur, dans les nuits désormais lointaines du Caire de mon enfance.

Je descendis les marches précautionneusement une à une, alternant le poids de mon corps entre la rampe de l'escalier et la poignée d'une béquille, me demandant comment je ferais pour les remonter. Sans réponse à ma question, je parvins au bas de la dernière marche et repris mon souffle en observant l'aspect lugubre de la pièce. L'air était fétide, irrespirable. Autour de moi, tout était devenu gris. Je pensais aux albums photo qui peuplaient le coffre de ma voiture et à tous les objets que j'y avais laissés sans m'être jamais retourné. Reprenant ma béquille en main, je me dirigeais lentement vers eux avec le sentiment latent que quelque chose de désagréable m'y attendait. À ma grande surprise, le coffre était déjà ouvert. J'en dépoussiérais le contenu à l'aide du chiffon que j'y trouvai, retardant d'autant le moment où il me faudrait regarder. Je disposais ensuite les albums à côté de moi sur la banquette arrière, de solides reliures de cuir noir aux lettres finement dorées que je commençai à feuilleter, voguant de cliché en cliché. Je cherchais quelque chose qui me mènerait à Positano, quelque chose qui me mènerait à Clara. Je cherchais ce que j'aurais dû chercher il y avait cinq ans quand elle avait disparu.

Naturellement, je trouvai tout sauf la photographie que je convoitais : des portraits de famille jaunis, les épreuves de mes reportages de guerre, les pages à l'encre bleue presque effacée de mes carnets d'enfant et quelques croquis naïfs inspirés par la guerre pour la conquête de l'espace qui commençait. Je forçai à nouveau mes jambes endolories vers le coffre. Fouillant dans ce glorieux désordre en quête de la villa de Clara, écartant pêle-mêle les prix récompensant ma carrière et les pellicules argentiques périmées, je réalisai avec stupeur que non seulement je ne trouvais pas ce fichu cliché, mais qu'aucun de mes albums ni boîtes de souvenirs ne contenait la moindre photo de Clara. Je me rendis compte, avec un certain malaise, que je n'avais jamais ajouté de photo de ma femme à mes effets personnels.

Chassant ces pensées, je saisis un petit volume dont la couverture au cuir desséché craqua entre mes mains. L'ouvrant avec précaution, je tombai en arrêt devant une carte postale de facture récente dont l'état tranchait avec celui des autres objets. Elle représentait un tableau de Magritte, *La Trahison des images*, ce tableau sur lequel le peintre avait écrit, sous la représentation d'une pipe, « Ceci n'est pas une pipe ». Ce tableau avait une signification particulière pour Clara et pour moi, car c'était par une carte postale identique écrite depuis le brouillard d'un champ de guerre que j'avais, à distance, demandé à Clara de m'épouser. Je retournai aussitôt la carte du livre : ce n'était pas la mienne. Au dos de celle que je tenais à la main se trouvait une inscription calligraphiée en arabe, une inscription qui n'avait rien à y faire.

Seule Clara connaissait la signification du tableau de Magritte et l'existence des trésors cachés dans ma Bentley. Seule Clara savait qu'un jour j'y trouverais cette carte. Mais à part moi, seul Howard connaissait l'existence et la signification de la phrase qui y était inscrite. Comment cette inscription et ce tableau de Magritte étaient-ils venus à se rencontrer ? Cette carte avait-elle un lien avec la disparition de Clara ?

Adossé au coffre rouillé de ma voiture, je regardais les arbres nus de l'hiver et les filets de tennis de Burton Court qui disparaissaient sous la neige. Le souffle glacé qui pénétrait par la porte du garage faisait danser la carte postale que je tenais toujours à la main. Je pensais à Clara. Je me remémorais notre promenade, ici même, le matin de sa disparition. Burton Court était alors verdoyant et rempli de cris d'enfants tout à l'ivresse de l'été et des grandes vacances qui approchaient. Clara et moi riions de nos pas mal assurés, évoquant le temps où nous pouvions, nous aussi, frapper vigoureusement dans les balles de tennis qui rebondissaient sur les cours d'à côté. Je revoyais Clara s'appuyer sur mon bras en refermant les pans brodés de sa gabardine, le chignon défait qui lui donnait des allures de jeune fille, les mèches avec le temps devenues gris clair s'échappant sur sa nuque fragile. Ses yeux vifs dont je ne me rappelais plus exactement la couleur, sa silhouette de ballerine et puis une vaste demeure, la sienne, la mienne, le soir même, vide. Du gris… De la pluie. Du vent. Et tout à coup tant d'espace. Le visage fermé de notre employée de maison qui, d'un geste las et rancunier, avait pris mon manteau trempé par l'orage ce soir-là. Ses lèvres pincées, plus aigries qu'à l'ordinaire, qui m'avaient annoncé, glaciales, que Clara était partie et qu'elle ne reviendrait jamais. Elle avait présenté sa démission dans la foulée, précisant, comme si besoin était, qu'elle avait un effet immédiat.

Après trente ans de mariage, Clara était partie sans un mot et sans laisser d'adresse. Un jour, il y a cinq ans, elle m'avait quitté. Et il semblait qu'Howard, mon meilleur ami, en savait plus qu'il ne le disait.

2

Howard

Je m'étais réfugié dans les volutes des cigares cubains que je fumais à la chaîne depuis le matin et dans la morsure chaleureuse d'un malt écossais. En sortant de la bibliothèque de Gamal, j'avais sauté dans le premier taxi venu en direction du Savile Club de Brook Street où j'avais demandé à occuper un petit salon privé et exigé de ne pas être dérangé. Malgré l'heure matinale, j'avais commandé une bouteille entière de Macallan, coupé mon téléphone portable, et je compulsais depuis des livres que je ne lisais pas en allumant des cigares qui me faisaient un mal de chien. Tout me faisait un mal de chien : mes poumons, Gamal, aller à Positano le surlendemain.

Je n'avais toujours rien dit à Gamal. J'avais failli le faire ce matin-là mais une fois de plus je n'en avais pas eu le courage. Je sentais pourtant depuis plusieurs semaines sourdre en moi une colère froide, un désir de revanche, un besoin latent et égoïste de bousculer son indifférence, sans autre but que de me débarrasser de mes sentiments. Mais bien sûr, lorsque j'avais poussé la porte de sa bibliothèque et aperçu la longue silhouette familière penchée sur le volume poussiéreux, ses doigts perclus d'arthrose peinant à tourner les pages du livre qui tremblait entre ses mains, son visage émacié s'éclairer en me voyant entrer dans la pièce, ma lâcheté habituelle avait pris le dessus. Ma rancœur s'était muée en pitié. J'avais renoncé. J'avais même bien failli pleurer. J'avais posé les journaux, nous avions commenté l'actualité comme à l'ordinaire et j'étais reparti, une fois de plus, lourd de mon secret :

– À demain Howard.

– À demain Gamal.

À demain et comme toujours.

J'en aurais vomi.

Comment avions-nous pu en arriver là, Gamal et moi ? Il avait été mon meilleur ami près de cinquante années. Lui et moi étions les deux faces d'une même médaille, il était le frère que je n'avais jamais eu, mon frère d'élection. À présent, que restait-il de notre amitié ?

Je ne parvenais plus à réprimer la colère que je ressentais envers lui ni à me dire que ce n'était rien, que nous en avions vu d'autres, que tout cela n'était que passager. Aussi indéfendable que pouvait être mon mensonge, j'estimais que les torts étaient pleinement partagés. Quand Clara avait disparu, il ne l'avait même pas cherchée ! Gamal dans toute sa superbe. L'observateur distant, impavide, l'homme invulnérable que rien ne troublait, sur la carapace duquel pouvait bien glisser le monde entier. Sa femme était partie et il n'avait rien fait, refusant obstinément d'en parler, jetant entre nous deux, une fois de plus, un écran invisible contre la paroi duquel durant des années mes poings rageurs avaient frappé. Car à moi, Clara manquait. Terriblement… Quand, deux ans après sa disparition, j'avais fini par apprendre ce qui lui était arrivé, j'avais été anéanti. Quant à Gamal, cela faisait longtemps qu'il ne parlait plus d'elle. Alors je ne lui avais rien dit. Ni ce jour-là, ni après.

J'avais toujours aimé Clara. Peut-être même dès la minute où je l'avais aperçue au bras de Gamal, lors d'un récital au Royal Albert Hall. C'était la première fois qu'il entretenait une relation sentimentale sérieuse depuis de nombreuses années et j'avais hâte de la rencontrer. J'avais observé de loin sa robe pourpre, sa silhouette mince comme un souffle qui paradoxalement ramenait tout l'espace à elle, aux jets de lumière érubescents que semait sa robe, à la clarté de son regard transparent qui dévoilait, au-delà d'un vert très pâle, le vaste monde caché qui vivait derrière, fait de ciels, de jade, de crépitements limpides. Une nature après la pluie : féconde et pleine de promesses. Je m'approchai d'elle pour la saluer, foudroyé avant qu'elle ait fini de prononcer son nom. Quel idiot ! Pourtant, j'étais fiancé à l'époque. Je m'étais promis à Lottie, une Anglaise adorable, ennuyeuse, ennuyeusement adorable. Nos fiançailles avaient tout d'abord continué leur cours tranquille en surface mais avec, sans que je m'en aperçoive, logée en mon âme, une étincelle de Clara. Laquelle était arrivée en premier ? L'étincelle ou la faille ? Je ne le saurais jamais. Ce fut en tout cas la faillite inéluctable de mes fiançailles. Les choses auraient pu être si différentes si j'avais compris à temps ce qui m'arrivait. J'aurais pu me soustraire à la magie, défier l'attraction. Mais je ne compris pas tout cela. Ce ne fut qu'au moment de notre rupture que je pris la pleine mesure de ma situation.

Alors que Lottie me pressait de fixer la date du mariage, je faisais tout pour la retarder. Elle m'attaquait sur tous les fronts à la fois : mariage, bébé, traditions familiales. Nous devions nous établir dans la vie. Je devais respecter ma promesse. Un jour, après une ultime dispute, je m'en étais ouvert à Gamal. Naturellement, il ne comprenait pas mes hésitations. Il ne voyait pas où était le problème. Lottie m'aimait, je ne l'aimais pas : il suffisait de la quitter. À quoi bon lui mentir et laisser la situation s'envenimer ? En toute équité, c'était vrai que c'était simple.

Au bout de quelques mois, lasse de mes atermoiements, Lottie avait fini par m'adresser un ultimatum que j'avais laissé expirer. J'étais, croyais-je, enfin libre !

Gamal m'emmena au pub le soir même pour me changer les idées. Trinquant bière contre bière tout au long de la soirée, il m'avait suggéré entre deux pintes de réfléchir sérieusement à ce que je voulais accomplir dans ma vie au lieu de continuer à perdre mon temps et à me mentir. Il faisait clairement allusion aux choix que je faisais pour ma carrière, alors que je venais d'accepter mon transfert au service économique d'un quotidien national, ce qu'il ne se cachait pas de désapprouver. L'alcool aidant, en grattant petit à petit la surface, la réponse à sa question n'avait pas manqué de m'irriter. Car ce que je voulais de la vie, c'était une femme. La sienne : Clara.

Mon poing était parti se loger directement dans sa figure sans que je puisse le contrôler.

3

Gamal

Je n'avais pas bien dormi. Mes jambes s'étaient vengées du tribut que je leur avais fait payer et les antidouleurs n'avaient rien pu pour moi. Entre rêves et délires, un sommeil entrecoupé de sursauts et la sueur qui avait trempé mes draps, une anxiété insondable et tenace m'avait tenu en éveil une bonne partie de la nuit. Je n'avais pas trouvé la photo de la villa. À la mairie de Positano, personne n'avait décroché. Je m'étais résolu à regret à attendre qu'Howard revienne le lendemain les bras encombrés de journaux : il me fallait le cueillir par surprise pour l'empêcher de se dérober et de retourner le mensonge à son avantage, ce en quoi il avait toujours excellé.

Je l'invitai à s'asseoir sur sa méridienne habituelle en lui tendant une tasse fumante de son thé préféré, un Oolong Da Hong Pao, suivant un rituel bien établi dont Clara avait aimé à se moquer. Dépliant ses longues jambes sur le lin gris clair du canapé, il avait savouré son thé sans se presser, ses yeux bleu acier perçant au travers de la fumée qui s'élevait au-dessus de la tasse pour se mêler aux reflets de sa chevelure argentée.

Tout était toujours unique chez Howard : le thé qu'il buvait, les tissus rares et soyeux des costumes qu'il commandait, ses traits figés de statue grecque, ses manières irréprochables et son incapacité absolue à se dévoiler.

L'Angleterre venait alors de prendre la présidence tournante du G8 et Howard, qui avait longtemps dirigé le service politique d'un grand quotidien britannique, me livrait en primeur les axes officieux de la politique étrangère du Premier ministre anglais. Il parlait, souriant, enthousiaste, exsudant son charme habituel, et je n'écoutais rien. Je me concentrais sur ma respiration, comptant méthodiquement chaque inspiration et chaque expiration jusqu'à me sentir prêt, c'est-à-dire capable de garder mon sang-froid et de l'écouter :

– Naturellement, la préoccupation de David Cameron n'est pas tant l'évasion fiscale ou la promotion de la croissance et de l'emploi, que l'attitude de Vladimir Poutine face au conflit syrien. Et pendant les quelques mois qui nous séparent du sommet de juin, si tant est que le G8 s'entende sur quoi que ce soit, les réfugiés vont continuer à s'échouer en masse sur les côtes grecques et italiennes.

– Bravant la chronique de leur mort annoncée…

– Avec, hélas, plus ou moins de succès. C'est une trahison de l'idée même de l'Europe que de refuser d'accueillir ces réfugiés. Une capitulation humaine et morale digne des heures les plus sombres de notre histoire. Pourtant, personne ne veut bouger. Lampedusa n'est pas un paradis aux eaux turquoise mais l'étendard de notre honte collective.

– C'est pour cela que tu vas en Italie demain ? Pour faire un reportage sur le sort des réfugiés ?

– …

– Tu as enfin décidé de te préoccuper du sort des victimes de conflits, après toutes ces années. Alléluia !

– …

– Comme quoi tous les chemins mènent à Rome. Ou à Lampedusa. Ou à Positano… Qu'importe… cela tombe bien pour toi, les cinq étoiles ont tendance à être vides en janvier. À ce propos…

Howard me regardait, interloqué, et je l'observais se taire, déterminé.

Je lui tendis l'itinéraire de voyage que j'avais trouvé la veille et j'ajoutai :

– J'ai appelé l'hôtel. Des gens charmants. Ils étaient

heureux de confirmer ta réservation : ils t'attendent avec plaisir, comme chaque année. Ils m'ont demandé si tu désirais un *letto matrimoniale*. Je leur ai dit que tu rappellerais.

Howard s'était levé calmement pour saisir un journal, ignorant mon regard, affectant un détachement que seule la moiteur de ses mains qui imprégnait le papier trahissait.

– Où veux-tu en venir, Gamal ? Je t'ai connu plus direct. Que signifie cette intrusion dans ma vie privée ? Je n'avais pas réalisé que j'avais des comptes à te rendre ! Quelle mouche te pique ? Je peux voyager où bon me semble sans avoir à me justifier, n'est-ce pas ?

– Bien sûr. Que vas-tu faire à Positano ?

– Écrire un article sur Pompéi, puisque tu insistes si gracieusement... Entre séjourner à Naples où les poubelles n'ont pas été ramassées depuis des semaines et à Positano, devine ce que j'ai choisi.

– Très bien. Dans ce cas, commençons par parler de cette carte.

En apercevant le tableau de Magritte, le visage d'Howard s'était liquéfié.

– Tu as le choix entre me dire la vérité maintenant ou me laisser la découvrir moi-même. Réfléchis bien avant de répondre, s'il te plaît.

Adossé en contre-jour à un pan de ma bibliothèque, Howard faisait craquer ses phalanges sans mot dire, méthodiquement, à la recherche d'une réponse qui ne vint jamais. Le bruit dérangeant et détestable de ses craquements osseux était toutefois mille fois moins déplaisant que le silence étourdissant qu'ils remplissaient. Ses yeux, qui jadis avaient intimidé tant de femmes et troublé tant d'hommes, deux hypnotisants dangers, erraient de part en part de la pièce sans savoir où se poser.

Finalement, Howard prit place devant moi. D'une voix aussi inexpressive que constante, il commença à parler :

– Après le départ de Clara, j'ai longtemps pensé qu'elle reviendrait. Je croyais que vous vous étiez disputés et que tu ne voulais pas m'en parler. Je pensais qu'il s'agissait d'un épisode orageux qui ne résisterait pas au passage du temps. Sauf que bien sûr elle n'est jamais revenue. J'étais inquiet, car cela ne lui ressemblait pas de partir soudainement sans laisser d'explications. J'ai pensé qu'il avait dû se passer quelque chose de terrible, de si affreux que tu n'osais pas m'en parler. Pour être honnête, je ne comprends toujours pas pourquoi tu ne l'as pas cherchée. Et je trouve ton comportement vis-à-vis de sa disparition aussi déplorable qu'ahurissant.

– Ce qui est atterrant, Howard, c'est que tu sois encore en train de ressasser ces vieilles histoires. Tout d'abord, c'est ma femme, pas la tienne ! Ensuite, je t'ai expliqué mille fois – mille fois ! – que Clara avait minutieusement planifié son départ. Qu'elle n'avait AUCUN désir que l'on vienne la retrouver. Tu étais là quand notre employée de maison m'a annoncé que Clara était partie et qu'elle ne reviendrait jamais. C'était pourtant clair, non ? Maintenant, et quoi que je ressente, au nom de quoi ne pas respecter la décision de Clara ? De quel droit m'imposer contre sa volonté ?

– Mais quelle volonté ? Clara est partie parce qu'elle était désespérée !

– Désespérée de quoi ?

Howard avait levé les bras au ciel, exaspéré, avant de s'enflammer :

– Enfin, c'est évident qu'elle voulait que tu viennes la chercher ! Elle a passé sa vie comme un tournesol tourné vers le dieu Gamal, vers ce que Gamal dit, ce que Gamal pense, ce que Gamal fait. Et tout à coup, du jour au lendemain, elle n'aurait plus eu besoin de toi ? Comment cette hypothèse a-t-elle jamais pu avoir un sens pour toi ?

Howard avait retrouvé sa place près de la bibliothèque, l'air sombre, les yeux étincelants comme de la moire, le sang cognant à tout rompre dans les veines de ses poings fermés. Joignant le geste à la parole, il avait continué :

– Tendre la main à la femme avec laquelle tu avais partagé trente ans de ta vie, ce n'était pas possible ? Entrer en contact avec elle une fois, pour t'assurer que son choix l'apaisait, c'était trop peut-être ? Bien sûr ! Gamal part et laisse tout derrière lui, l'Égypte, sa famille, Clara, il ne se retourne jamais. La seule chose que tu aies jamais prise avec toi est la seule chose que tu aurais dû laisser : Rimah.

Accusant le coup, je restai rencogné dans mon fauteuil sans mot dire, sans offrir à Howard la moindre piste, la moindre prise, la moindre miette de réaction. Je parvins à garder mon calme au prix d'un effort monumental. Comme au combat. J'avais, toute ma vie, refusé par principe de céder à la colère, comme à tout autre chantage affectif, particulièrement lorsque l'on tentait délibérément de la provoquer. Je ne fis pas d'exception pour Howard. Malgré ma fureur, je refusais d'entrer dans son jeu malsain, lui laissant le poids de ses cartes en main, le choix du prochain mouvement d'échiquier.

– Moi au moins, j'ai essayé de la retrouver ! De faire quelque chose pour mon amie. Pour ta femme ! Sans succès, malheureusement… L'une de mes pistes m'a mené un jour à Positano, où je vais écrire mon article demain.

– Pourquoi ?

– Je te l'ai déjà dit.

– Clara est-elle là-bas ?

– …

– Clara est-elle là-bas, Howard ?

– … En quelque sorte.

La voix d'Howard s'était soudainement voilée et il se raclait maladroitement la gorge pour le faire oublier.

– Comment ça « en quelque sorte » ? Où est-elle ?

Howard prit une profonde inspiration dont chaque seconde glaça l'atmosphère. Puis il baissa les yeux et souffla, d'une voix à peine audible :

– Clara est morte, Gamal.

4

Howard

Je longeais la route sinueuse qui reliait Naples à Positano dans un taxi depuis lequel j'observais la mer Méditerranée. Sac en papier à la main, je tentais de détourner mon attention de ces redoutables virages de montagne qui retournaient les estomacs les mieux accrochés. J'essayais de ne pas prêter attention aux propos du chauffeur de taxi qui me demandait toutes les deux minutes comment j'allais. Il craignait que je ne salisse sa belle voiture et, s'il continuait, c'était bien ce qui risquait d'arriver : à force de me poser la question, il allait finir par me convaincre que j'avais la nausée.

Ainsi, nous y étions. Le moment que j'avais tant redouté était arrivé. Pour l'heure, je me sentais étrangement soulagé. Bien sûr, les conséquences de mon aveu n'avaient pas encore commencé à se dévoiler, mais pour l'heure, j'étais heureux de ne plus chercher d'issue à l'impasse dans laquelle je m'étais fourré.

Comme d'habitude, Gamal ne s'était pas démonté. Il se fichait de la disparition de Clara à l'époque, pourquoi ne s'en serait-il pas fichu après ? Il avait perdu toute capacité d'empathie sur les champs de guerre et, si j'avais suivi son chemin, c'est ce qui me serait à moi aussi arrivé.

Il existait bien avant cette confrontation une longue liste de raisons pour lesquelles j'en voulais autant à Gamal. Pleinement identifiables, elles étaient celles dont j'avais conscience, celles auxquelles je m'étais accroché et dont, à force d'y avoir pensé, j'avais fini par me convaincre de la légitimité. Comme le fait par exemple qu'il me considérait comme un journaliste de salon, un pantouflard-né qui, lorsqu'il avait eu l'occasion de diriger le service politique d'un quotidien national, avait selon lui fait des relations publiques au lieu d'informer ses lecteurs. Un pisse-copie à la solde du pouvoir, en opposition, je supposais, au grand reporter qu'il avait été. Dans mon esprit, en arrière-plan, la peur qu'il ait bien sûr raison.

Il y avait d'autres fondements à ma rancœur, plus flous ceux-là, qui grouillaient sous la surface. Je me gardais bien de les faire remonter. Ils me dérangeaient, ne me disaient rien qui vaille.

Comme chaque année à l'anniversaire de la mort de Clara, le 29 janvier, j'étais venu à Positano rendre visite à Giuliana, sa cousine qui m'avait informé de son décès. Nous parlions de tout et de rien, de ces sujets insignifiants que mes piètres notions d'italien me permettaient d'aborder. Nous marchions ensemble jusqu'au petit cimetière qui surplombait la mer où nous entretenions la tombe de Clara, avant de nous laisser envahir par la tristesse une fois désœuvrés. Nous tournions les yeux vers l'immensité de la mer et l'île de Rudolf Noureïev près de laquelle voguait souvent un voilier esseulé. Sa coque fendait l'eau comme une paire de ciseaux aurait découpé l'océan et Giuliana m'avait confié que c'était un voilier semblable qui avait emporté les parents de Clara un soir d'été.

– Pour la troisième fois, pourriez-vous ralentir, s'il vous plaît ?

– Mais il n'y a personne sur la route !

– Je ne suis pas pressé, qu'il y ait quelqu'un ou qu'il n'y ait personne.

– Monsieur a-t-il la nausée ? Dois-je m'arrêter ? Vous n'arrêtez pas de tousser !

– Contentez-vous de ralentir, s'il vous plaît. Nous sommes à flanc de côte, que diable !

Je serrai mon sac en papier de plus belle. Combien de fois Clara avait-elle emprunté la même route dans sa jeunesse ? À quoi donc la petite Clara rêvait-elle, sagement assise dans sa robe blanche à smocks, petits souliers gris vernis et chapeau de paille ajusté, dans l'automobile parentale qui l'emmenait de Naples vers le paradis familial positanais ? Quel éclat avait le bleu de la mer dans ses yeux céladon ? Avaient-ils une expression heureuse ou étaient-ils déjà inquiets ?

Clara avait grandi dans une bulle harmonieuse en suivant les chemins prétracés que sa famille aimante avait balisés pour elle. Elle était la fille unique de Pietro et Simona Greco-Bianchi, héritiers d'une grande entreprise de textile napolitaine dans la gestion de laquelle ils ne s'impliquaient jamais, déléguant malencontreusement sa direction à un cousin aussi incompétent que corrompu. Celui-ci, contrairement à leurs concurrents, n'avait pas su réagir à temps à la délocalisation de la production textile (« *Ma chi sono questi idioti che fanno i loro vestiti in Turchia o in Cina ? Vogliono avere pantaloni con il sedere prima*[1] *?* »). Il avait torpillé l'entreprise établie depuis 1809 en moins de temps qu'il n'en fallait pour le compter. Pietro et Simona avaient tout revendu, bureaux, usines, pour se consacrer à leur plus grande passion

1. « Mais qui sont ces idiots qui font fabriquer leurs vêtements en Turquie ou en Chine ? Ils veulent avoir des pantalons avec les fesses devant ? »

commune : Clara. Ils la retirèrent de l'école qu'elle fréquentait pour l'emmener partout, entre galeries d'art et tour d'Europe en voilier, le matin Simona faisait l'école, l'après-midi Pietro la défaisait.

L'été de l'accident, ils venaient juste de rentrer à Naples et passaient leurs premiers jours à Positano entourés de leur famille. Un soir de juillet, alors qu'ils étaient partis seuls sur leur voilier, Pietro et Simona n'avaient pas vu à temps la tempête qui s'était levée. Alors qu'un bateau arrivait pour leur porter secours, une vague avait violemment projeté Simona sur un rocher qui l'avait assommée. La voyant s'enfoncer dans les eaux, Pietro avait plongé vers elle, ignorant les cris et invectives désespérés des gardes-côtes. Face à des vagues hautes de plusieurs mètres, il n'avait pu maintenir le corps de Simona à flot ni se résoudre à le laisser sombrer. Ils périrent tous deux noyés.

Le visage ridé de Giuliana se crispait encore quand elle évoquait l'annonce de la terrible nouvelle à Clara et le souvenir des années qui avaient suivi. Clara, qui avait seize ans à l'époque, s'était renfermée en elle-même, percevant la mort de ses parents comme une trahison de leur part, leur en voulant terriblement, les détestant parfois même : pourquoi étaient-ils partis ce soir-là ? Pourquoi ne l'avaient-ils pas emmenée ? La vie était finalement tout le contraire de ce qu'ils lui avaient promis et ils l'abandonnaient là, seule, sans repères ni mode d'emploi. Clara avait peu à peu reconstitué une autre bulle, dans laquelle elle n'avait laissé personne pénétrer. Elle avait vécu sa vie dans la crainte permanente que tout s'écroule à nouveau, dans le mythe de ses parents disparus, fuyant avec application le monde qui les lui avait dérobés. Quand elle s'était enfin décidée à construire si longtemps après, quand elle avait rencontré Gamal, elle ne l'avait pas fait pour se tourner vers l'avenir, elle l'avait fait pour réparer le passé. Elle avait choisi un homme dans lequel elle avait revu son père, pour lui assigner le seul rôle masculin qu'elle connaissait : la protéger. Mais un mari n'est pas un père, Gamal moins que tout autre, et il avait fallu une vie à Clara pour le comprendre.

5

Gamal

Après l'annonce de la mort de Clara, je m'étais retiré dans la pénombre intime du boudoir qu'elle avait occupé au premier étage, dans un mouchoir de poche qui avait tout du périmètre de sécurité. Je me lovais, confiné dans son espace, pour que sa présence, même diffuse, fasse encore un peu mentir la réalité. Je n'en sortais plus que pour manger ou fouler l'herbe de mon jardin. Le jour de l'annonce de sa mort restait encore flou pour moi. Je me souvenais avoir raccompagné Howard à la porte. « Clara est morte, il y a trois ans. » Avoir fait encore quelques pas avant de l'atteindre, la porte. « C'est sa cousine qui m'en a informé. » Howard qui allait à Positano « fleurir sa tombe, comme chaque année ». Un autre pas, je crois. Nous y étions : la porte. Comme un robot, je l'avais ouverte puis refermée. « Je suis désolé, je n'ai jamais voulu te l'apprendre comme cela. » Je m'étais affaissé sur le banc du vestibule où mes jambes mises à l'épreuve depuis la veille m'avaient définitivement lâché. J'étais resté prostré ainsi plusieurs heures avant de remarquer la vie insolente du parc qui me narguait à travers les vitraux multicolores de la porte d'entrée.

Qu'était-il arrivé à Clara ? Quel rôle Howard avait-il joué ? De quoi était-elle morte ? S'était-elle suicidée ? Pourquoi était-elle partie ? Que me cachait-il encore ? La carte postale… nous n'en avions pas parlé.

Comment un homme comme lui, pur produit d'Harrow et d'Oxford, authentique personnification des codes éthiques et moraux de l'aristocratie anglaise, avait-il trouvé en lui les ressources pour trahir son frère d'armes ? Son frère d'âme. Cela faisait cinquante ans que nous ne nous étions pas quittés, que nous bravions ensemble les hauts et les bas de la vie, unis dans les épreuves comme dans les succès, depuis notre première rencontre sur les bancs des stagiaires au *Times*. Qu'il était, du moins jusqu'à la veille, mon meilleur ami, mon référent. L'homme dans lequel j'avais placé une confiance totale et sans réserve. Howard qui était mon exécuteur testamentaire, l'administrateur que j'avais désigné pour la gestion des droits moraux de mon œuvre lorsque je disparaîtrais. Des droits moraux ! La morale ? Ce fut à ce moment-là que la lame de fond contenue depuis la veille vint m'emporter, balayant en quelques secondes les digues que j'avais mis cinq ans à ériger. Dans l'espace étroit du boudoir de Clara, assis sur l'ottomane en velours bleu pastel sur laquelle elle lisait, je laissai libre cours aux larmes sans âge qui m'avaient rattrapé, trouvant leur source bien au-delà des révélations d'Howard, dans la multitude des plaies que je n'avais jamais refermées. Et mes sanglots se perdaient, ils s'épuisaient les uns après les autres dans l'écho silencieux de leur solitude, jusqu'à ce que plus aucun son ne résonne.

Mes larmes étanchées, j'avais fini par me reprendre. J'avais à nouveau téléphoné à la mairie de Positano. Cette fois, on avait décroché. J'avais déduit des éléments que j'avais pu recouper que Clara y avait vécu environ deux ans avant d'y mourir. Qu'à part sa cousine, une certaine Giuliana, personne n'était jamais venu la voir, « *nemmeno il signor Howard, quello che paga per la manutenzione della tomba e dei fiori settimanali*[1] ». Difficile de dire avec certitude ce qui aurait été pire : apprendre qu'Howard venait la voir ou apprendre, comme je l'avais fait, qu'elle était morte isolée.

---

1. « Pas même monsieur Howard, celui qui paie pour l'entretien de la tombe et les fleurs hebdomadaires. »

Dire que j'avais cru pendant toutes ces années que Clara était libre et heureuse dans une contrée ensoleillée ! Qu'elle était partie refaire sa vie, pour elle, selon ses propres termes qui, par conséquence, devaient forcément lui convenir ! Sa mort ne cadrait avec aucun des scénarios que j'avais envisagés. Bien sûr que j'avais cherché Clara quand elle était partie ! Je n'avais pas couru les routes, fait retourner les aéroports ou battu les campagnes. Je n'avais laissé qu'un message sur son répondeur, appel qu'elle n'avait pas retourné. Je n'avais pas prévenu la police. Je n'avais eu à recourir à rien de tout cela car Clara avait obligeamment déroulé la trame du film pour moi. Il suffisait de reconstituer l'emploi du temps des jours qui avaient précédé son départ. Elle avait réservé une croisière pour les Cyclades, vidé ses comptes bancaires, résilié l'abonnement de son téléphone portable et fait don de tous ses biens à des œuvres de charité. Le camion d'Oxfam qui était arrivé aux petites heures le matin suivant son départ avait tout emporté. Tout, sauf une valise dont j'avais remarqué l'absence la veille, après que notre employée de maison eut pris congé. « Madame est partie. Elle ne reviendra jamais. » Clara était partie vivre ailleurs. Elle avait méticuleusement organisé une nouvelle vie sans moi, rencontré quelqu'un peut-être. À l'aune d'une telle planification, j'avais bien dû admettre qu'elle n'avait aucun désir de m'y inviter. Quoi que je pense ou que je ressente, au nom de quoi ne pas le respecter ? C'était cela aussi, fondamentalement, l'amour… Laisser partir celui qui voulait s'en aller. Howard, qui voulait Clara pour lui-même, n'avait pas su l'accepter. Je n'avais jamais voulu Clara pour moi-même. À y penser, c'était peut-être pour cela qu'elle m'avait quitté.

6

Clara

Positano, juillet 2008. Journal pour toi qui voudras bien le lire.

J'ai tout quitté : Londres, sa pluie, la complicité familière de ma maison, les habitudes d'une vie, Gamal et la Clara que j'ai été. J'ai tout laissé derrière moi, comme les gens qui abandonnent une casserole sur le feu ou un enfant au milieu d'un parc, obéissant à une pulsion irraisonnée. Puisque le temps m'est compté, j'ai choisi d'oblitérer le monde pour me recentrer sur moi, me débarrasser de tout et de tous, muer en laissant cette vieille peau-prison derrière moi. À l'annonce du diagnostic du professeur Davies – et de tout ce qu'il impliquait de sinistre –, j'ai décidé de ne pas me soigner et de profiter à plein de ces derniers mois plutôt que de tenter de les prolonger en années d'enfer et de fatigue. On meurt, oui…

La question est plutôt de savoir ce que je vais faire de ces quelques mois, moi qui ai perdu tant d'années. Après avoir passé plusieurs jours à tourner en rond dans la maison, à ressasser abasourdie les paroles du professeur Davies en m'affairant comme si de rien n'était, j'ai ressenti le besoin irrépressible de revenir à Positano, loin des « Ce ne sont que des moyennes. Certains patients survivent jusqu'à dix ans après le diagnostic » et des « Il existe des essais cliniques prometteurs mais en l'état, malheureusement, rien qui puisse faire l'objet d'un protocole de traitement. Je peux vous conseiller une assistance psychologique. Il existe d'excellents groupes de soutien », et d'autres phrases encore qui aujourd'hui ne comptent plus vraiment. Alors je suis revenue à Positano, à la maison, la vraie.

J'ai passé ici tous les étés de mon enfance, symbole des vacances, des temps heureux, des temps pré-Gamal. Je m'y rendais chaque année pendant trois mois, avec mes parents et la multitude de cousins colorés de notre tribu familiale aujourd'hui dispersée. Je revois distinctement le jardin d'alors, notre champ de bataille, cette jungle luxuriante peuplée de mes arbres préférés (plus que tout les citronniers), les innombrables courses-poursuites armés de pistolets à eau, les queues frétillantes des lézards s'agitant entre nos doigts d'enfants hilares, les tartes aux pêches mangées fumantes et les bagarres pour les derniers bonbons du paquet. Les éléphants vont dans leur cimetière, moi je suis venue à Positano. Où vont les autres ? Où ira Gamal ? Retournera-t-il au Caire ?

J'ai besoin, pour cet ultime voyage en moi-même, d'un endroit où personne ne puisse m'atteindre, d'un lieu qui n'ait de signification que pour moi, vierge du souvenir de ceux que j'ai laissés derrière moi. Je suis arrivée à Positano il y a deux semaines avec l'unique valise que j'ai emportée. À mon grand soulagement, Giuliana n'était pas là. Elle séjourne avec ses enfants à Palerme, si bien que je suis seule avec la clef qu'elle avait laissée chez l'épicier. Giuliana ne sait pas que je suis malade. Je ne l'ai dit à personne. Je ne l'ai pas vue depuis si longtemps, je ne voulais pas lui imposer, en même temps que mon retour, une peine qui affecterait notre joie.

Après tout ce temps, revenir n'a pas été facile. J'ai poussé les imposantes portes en bois, pétrie d'appréhension, le cœur plus lourd qu'elles. J'ai d'abord reculé, hésitante, prête à m'en aller. J'avais une peur infinie de ce qui, tapi derrière ces portes, s'apprêtait à m'assaillir. J'ai toujours peur qu'on m'envahisse, qu'on empiète sur ma liberté et que l'on m'impose des sentiments qui feraient de moi une prisonnière.

Je n'étais pas retournée à Positano depuis l'été qui avait coûté la vie à mes parents. Alors, qui savait ce que j'y découvrirais maintenant ?

Je m'efforce d'apprivoiser petit à petit la maison et de la dissocier des photos qui dans mon souvenir la représentent. Tout m'a d'abord paru plus petit que je ne l'imaginais. J'avais l'impression de voir une reconstitution miniature d'un paradis jadis beaucoup plus grand, comme un petit objet ciselé et délicat que l'on m'aurait tendu dans le creux de la main avec un peu de condescendance. La première semaine, je me suis promenée dans les pièces, un peu intimidée, déstabilisée par l'absence d'écho à mon désir de rencontre. Il y avait certes des images qui surgissaient au détour de quelques portes, des images dont la précision gravait incontestablement ma présence au sein de ces murs. Mais il y avait une distance qu'au fil des jours je ne parvenais pas à dépasser, comme si je n'étais plus légitime ni à ma place. Je cherchais désespérément dans les pierres des murs et le marbre des escaliers à faire revivre les souvenirs qui me liaient à cet endroit, à réentendre l'écho de nos pas d'enfants courant dans l'escalier, à sentir les odeurs du verger, à revoir les fleurs violettes des bougainvilliers virevoltant dans les airs avant de s'écraser sur les terrasses du jardin, poussées par les orages de fin d'été… Je cherchais simplement à me sentir chez moi. Mais je ne me cognais qu'à moi-même, la Clara qui avait grandi, changé et vécu loin de ce monde.

Et puis finalement, les habitudes ayant une dynamique remarquable, à force d'habiter de nouveau la maison, de monter et descendre sans cesse les immenses escaliers et de sentir le marbre froid caresser mes pieds nus, une connexion s'est établie. Au fur et à mesure que le bronzage commençait à apparaître, mes traits à se détendre, la fatigue et l'angoisse à s'estomper, renaissait dans le miroir du premier palier le visage jeune et heureux qu'il me renvoyait dans mon enfance.

Ce serait formidable si, pour rattraper le temps perdu, il suffisait de monter et descendre les escaliers !

7

Howard

Le taxi n'en finissait pas de ne pas arriver. J'avais fini par insister pour que le chauffeur arrêtât sa voiture sur le bas-côté afin qu'il terminât sa conversation téléphonique et il avait pris cela comme un blanc-seing pour la continuer. Il vociférait depuis une demi-heure dans son téléphone portable en fumant cigarette sur cigarette, fendant l'air de gestes vains comme si son interlocuteur le voyait. Je perdais mon temps et devais supporter les effluves de son parfum bon marché, mais au moins, je ne faisais pas de tonneaux sur la chaussée. Comment pouvait-on parler aussi fort alors qu'il n'y avait aucun bruit alentour ? Courroucé, je prenais mon mal en patience en surveillant d'un œil inquiet la roche montagneuse, au cas où l'une de ces envolées pulmonaires aurait provoqué un éboulement. Ou dans l'hypothèse plus probable où l'une de mes quintes de toux le fasse. Je n'ai jamais compris les Italiens. Foncièrement, je ne crois pas qu'un Anglais le pourra jamais. Je n'ai jamais compris les femmes non plus. Les femmes... Ne s'aperçoivent-elles vraiment pas quand un homme les aime ? C'est pourtant ce qu'elles veulent, qu'un homme les aime... Comment Clara avait-elle pu pendant si longtemps ignorer mes sentiments ? Cela me semblait inconcevable. Elle avait plutôt dû s'accommoder de mon émoi, l'étouffer sous un voile opaque pour ne pas être dérangée. Elle avait pris soin, pendant toutes ces années, de ne pas ouvrir de porte qui ne déboucherait pas sur mon « amitié ». Jusqu'aux semaines précédant son départ, elle avait prétendu ne rien remarquer. Elle avait accueilli avec un soulagement et un enthousiasme exagérés toutes les nouvelles relations amoureuses que j'avais nouées. C'en était embarrassant, cette condescendance ! Elle ne tarissait pas d'éloges ridicules sur mes conquêtes réelles et supposées, plaidant avec force pour l'élue du jour comme si elle n'avait pas plaidé pour celle de la veille. Combien d'années de ma vie avais-je passées à contempler mon amour interdit dégoiser devant moi, sans respect pour les sentiments qu'elle n'avait pas eu le courage de rejeter ? Une femme sait toujours quand un homme l'aime, surtout si elle ne l'aime pas. Qu'avait-elle pensé à partir de ce moment-là ? S'était-elle sentie trahie, cela avait-il dégradé notre amitié ? M'en avait-elle voulu de l'aimer ? Avait-elle espéré que je me lasse ?

Clara, mon amour impossible. Un amour impossible à vivre, impossible à abandonner, impossible à comprendre. La femme de mon meilleur ami. Pourtant, Dieu sait qu'il n'avait pas su l'aimer ! N'avait-elle jamais eu, dans le creux de la vague, une faiblesse pour moi ? Ne s'était-elle jamais demandé, tandis que Gamal l'ignorait, ce que ce serait d'être dans mes bras, embrassée ? N'avait-elle jamais eu de pincement au cœur en me voyant presser une autre femme contre moi ? Qu'avait-elle fait de ses propres sentiments dans son désert affectif complet ? Les avait-elle gardés au fond d'elle pour y penser dans son intimité, lorsqu'elle dormait seule dans son lit le soir ? Pourquoi Clara ne s'était-elle jamais tournée vers moi ?

Autant de questions que j'étais condamné à me poser, encore et toujours, et qui m'accompagnèrent dans ce taxi qui longeait à nouveau la mer vers elle. À cette absence de réponses, j'avais, hélas, ma part de responsabilité. Je ne m'étais pas déclaré. J'étais resté avec mes cartes en main. À quoi me servaient-elles maintenant ? On dit « aimer en secret »... Mais, en lieu de secret, j'avais assisté sans intervenir à la cruelle solitude dans laquelle dérivait Clara, me faisant de fait le complice silencieux de Gamal, jusqu'au jour où tout avait basculé.

Dans les jours qui avaient précédé son départ, j'avais eu la nette impression que Clara tentait de me dire quelque chose. Elle me regardait avec une bienveillance et une réserve quasi indéfinissable qu'elle semblait constamment sur le point de rompre pour m'interroger. Un matin, alors que je me dirigeais vers la bibliothèque de Gamal pour notre revue de presse quotidienne, Clara me prit de court. Elle se dirigea vers moi en me foudroyant du regard sur toute la distance du couloir, jusqu'à s'approcher si près que ses lèvres frôlèrent mon oreille :

– Je dois te parler. Seuls. Jeudi prochain, ici, à vingt heures. Tu ne dois rien dire à personne. Tu comprends ? À personne.

Elle avait ensuite serré mon bras jusqu'à y imprimer la marque de ses doigts, avant de s'éloigner sans un regard, me laissant à ma perplexité.

Qu'est-ce que cela pouvait bien signifier ?

8

Gamal

Les jours passaient et j'étais toujours en esquive dans le boudoir de Clara. Enveloppé de son aura lumineuse, je trouvais quelque confort dans les couleurs poudrées et la douceur des tons pastel qu'elle avait choisis. Étendu sur l'ottomane disposée en face de la fenêtre, je jouais avec un coussin en velours gris clair cerclé de perles, perdu dans la contemplation distraite des courbes du secrétaire cérusé où elle s'asseyait. Clara ornait toujours son bureau d'un bouquet de fleurs fraîches dont elle laissait les pétales tomber un à un avant de se résoudre à le remplacer. Elle tenait toujours à tout, Clara, jusqu'au bout. Elle n'abandonnait rien.

« Gamal part et laisse tout derrière lui, l'Égypte, sa famille, Clara, il ne se retourne jamais. » Depuis combien de temps Howard avait-il ruminé cela ? Et en quoi diable cela le concernait-il ? Quand avais-je donc laissé Howard derrière moi ? C'était, de toute évidence, le cœur du sujet.

Pour l'heure, j'évitais autant que possible de penser à lui. J'avais envie de l'étrangler. Derrière mon apparente placidité, derrière le bloc de glace, il y avait une main qui se retenait de le réduire en purée. C'était bien ce qu'il voulait. Pourtant, lui ne voyait que la glace, et dans la glace, son propre reflet.

Howard me tenait pour un égoïste de la pire espèce. Pour autant que je le comprenais, c'était parce que je ne lui donnais pas ce qu'il voulait me prendre, y compris ma colère. Howard ne questionnait jamais ce qu'il voulait, il ne questionnait que ce qu'il recevait. Il avait traversé les années sans s'en apercevoir. C'était tout de même remarquable.

Ses desiderata étaient légitimés par l'opinion qu'il s'était faite de lui-même et les qualités morales qu'il s'était attribuées. Il se percevait comme un être généreux et bienveillant, en conséquence de quoi ce qui le motivait empruntait forcément les mêmes qualités. Partant, les aspirations des autres ne lui semblaient jamais aussi légitimes que les siennes. De mon point de vue, cette attitude était évidemment contradictoire. Je le lui avais dit plusieurs fois et, comme un enfant, il s'était drapé dans sa dignité. Howard était un enfant sentimental amoureux de ses vérités. Il ne supportait pas que l'on puisse les remettre en question : cela le terrifiait, menaçait ses fondements. Il ne l'avouerait jamais.

Avec le recul, cela faisait des années qu'il s'ingéniait périodiquement à me pousser dans mes retranchements. Il œuvrait de manière détournée, inconsciente peut-être… mais pas toujours. Comme la fois où, recevant en mon nom le prix Pulitzer – couronnement de ma carrière –, il avait délibérément tronqué mon discours. Mais même alors, je n'avais pas cédé à cette provocation puérile. Je ne m'étais pas mis en colère, j'étais totalement imperméable à cela, je l'avais toujours été. Je lui avais tendu un miroir pour qu'il trouve lui-même la réponse qu'il cherchait. Mais il détestait ce qu'il y voyait, car dans un miroir, c'est à soi-même que l'on ne peut mentir. Il en avait conçu à mon endroit une aigreur tenace et irrationnelle, l'emprisonnant dans une rancune calcifiée dont il était devenu le jouet malheureux. Il devait alimenter son ressentiment envers moi pour nourrir la bête… pour survivre peut-être. Quoi qu'il pense que je lui avais fait, il ne parvenait ni à me pardonner, ni à m'en parler. Il m'avait caché la mort de ma femme pendant trois ans. Non pas pour la raison évidente qu'il était un être mesquin, double et sans cœur, mais parce que d'après lui je l'avais mérité, en ne réagissant pas, ne faisant pas ce qu'il estimait que j'aurais dû faire, dire, écrire, penser.

L'objectif de sa longue-vue avait les dimensions de son nombril. Il abordait donc, me semblait-il, les choses avec une portée et une perspective relativement limitées.

9

Howard

J'avais attendu le jeudi suivant avec un mélange d'inquiétude et d'excitation. Gamal était parti à une conférence à Berlin, la voie était libre, Clara m'attendait. J'étais arrivé au rendez-vous à huit heures précises les bras chargés de pivoines. J'arrive toujours quelque part les bras chargés, je ne sais pas pourquoi, cela me rassure. Clara, vêtue d'une robe fourreau vert émeraude, avait ouvert la porte, radieuse. Pleinement conscient de mes limites, j'avais commencé à paniquer. Clara avait dû percevoir mon inconfort car elle me conduisit immédiatement au salon de lecture où elle me servit un gin tonic pour me rasséréner.

Avec le recul, c'était si caricatural qu'il est comique que son piège ait fonctionné. Les amoureux sont faibles, quels que soient leur expérience et leur âge. Il n'y a même rien de pire que ces passions séniles, celles qui vous font sentir si jeune, si immortel et si vivant que vous faites tout vous-même pour vous laisser aveugler.

Après trop de gin, nous passâmes à table. À ce moment-là, je me fichais de tout : du but qu'elle poursuivait, de la morale, de mon amitié d'alors pour Gamal et des conséquences catastrophiques auxquelles potentiellement faire face le jour d'après. La conversation fut animée, joyeuse, tournée vers toutes ces anecdotes qui nous liaient : le jour où, alors que je m'étais endormi au bord de la piscine, Gamal avait posé une pièce de monnaie sur mon front, m'assurant une marque de bronzage ridicule tout l'été ; la fois où, la veille d'un tournoi, j'avais remplacé les balles de golf de Gamal par des balles truquées qu'un cadet hilare faisait zigzaguer à distance ; le jour où, moyennant une généreuse donation à une œuvre de charité, j'avais promis à l'assommante comtesse Pony-Ridge que Gamal lui ferait personnellement visiter son exposition en avant-première et l'inviterait à dîner en tête à tête. Les cristaux des verres à vin, les bougies, les yeux de Clara, tout scintillait. Je n'avais jamais été aussi heureux, plus rien d'autre ne comptait. Le temps s'était enfin arrêté. Mon heure était venue. Au moment de retourner au salon de lecture pour m'offrir un digestif, Clara m'avait enlacé, puis embrassé pendant de longues minutes.

Démuni comme un garçonnet, le cœur entre les mains d'une autre, j'étais soudain condamné à devenir le plus heureux ou le plus misérable des hommes de la terre. Clara me prit la main et m'entraîna vers le sofa où elle m'embrassa encore, serrant mon visage entre ses mains avec chaleur, plongeant son regard dans le mien avec un abandon confiant.

– Howard, je suis si heureuse d'être avec toi ce soir. Mais il faut que tu me dises la vérité.

J'avais attendu ce moment-là toute ma vie. J'étais – enfin ! – sur le point de lui déclarer mon amour, lorsque Clara me tendit une carte postale d'un geste brusque, guettant ma réaction avec une impatience mal dissimulée. La carte représentait un tableau de Magritte, *La Trahison des images*. Au verso, une inscription en arabe était calligraphiée.

– Howard, dis-moi que ceci n'est pas une pipe.

– De quoi s'agit-il ? demandai-je, mi-inquiet, mi-amusé.

– Ne me pose pas la question que je te pose, Howard.

– Mais je n'en ai pas la moindre idée ! Comment le saurais-je ? C'est écrit en arabe. Pourquoi ne demandes-tu pas à Gamal ?

– Parce que cette phrase est gravée au dos du boîtier de sa montre et qu'il ne m'en a jamais parlé. Et surtout, parce qu'elle l'a été par une femme que l'horloger a prise pour moi, son épouse. Alors je répète : que signifie cette inscription ?

Clara continuait de parler, le visage empourpré par l'alcool et la colère, mais je n'écoutais déjà plus rien. Je ne pouvais plus entendre. Je ne pouvais plus que voir : Clara avait orchestré cette mise en scène dans le but de m'arracher quelque secret de Gamal. Elle venait de démontrer que non seulement elle n'ignorait rien de mes sentiments, mais aussi à quel point elle s'en moquait. Elle avait bafoué mon amour à la minute même où elle en avait pris acte. Pourquoi recourir à une telle mascarade au lieu de me poser tout simplement la question qui la taraudait ? Les baisers, les avait-elle aussi prémédités ? Je ne le saurais jamais. Mais ce que je savais avec certitude ce soir-là, c'était que pour la première fois de ma vie, j'en voulais à Clara d'une rage proprement mortelle.

10

Clara

Positano, juillet 2008. Journal pour toi qui voudras bien le lire

Les réserves que Giuliana m'avait laissées s'amenuisaient, de sorte qu'il m'a bien fallu pousser à nouveau les lourdes portes en bois pour affronter le village et m'approvisionner. Plus encore qu'avec la villa, j'appréhendais cette reprise de contact avec Positano. La maison était un sanctuaire familier, un refuge où je manquerais certes encore parfois de repères, mais le village, lui, ferait de moi soit son enfant prodigue, soit une étrangère qu'il forcerait à partir. Où irais-je après ?

À nouveau, tout m'a paru beaucoup plus petit, exigu, étriqué. Les représentations de la mémoire sont infidèles ! Certes, j'oublie quantité de choses – surtout ces derniers mois –, mais il me semblait que lorsque je me souvenais, je me souvenais. L'architecture générale de Positano restait inchangée avec ses maisons colorées à flanc de montagne, mais les commerces de mon enfance et les mammas qui les avaient tenus avaient ensemble disparu. C'était à la fois rassurant et douloureux, cette immuabilité qui me donnait un sentiment de constance et de continuité, et cette précarité qui me les reprenait. Vide des personnes qui me l'avaient rendu vivant, Positano constituait un mélange aussi charmant qu'étrange de ruelles étroites et d'escaliers, de maisons aux murs envahis par le lierre et les fleurs, d'églises aux toits bigarrés servies par une route sinueuse s'offrant à une mer immense bordée de falaises et de plages brûlées par les galets. Tant de couleurs, tant de beauté… Et pourtant j'étais perdue.

À nouveau les jours ont commencé par passer à côté d'eux-mêmes, vides, suivant un mauvais chemin, sans m'inclure ou me laisser m'immiscer où que ce soit pour trouver la paix et la lumière que j'étais venue chercher. Le fossé était trop profond entre eux, qui habitaient désormais le village, et moi qui l'avais quitté. Même reparler italien me semblait compliqué. Une fois de plus, je ne me sentais pas à ma place.

Et puis, comme à chaque fois, le temps a fait son œuvre. J'aurais dû davantage faire confiance au temps dans la vie, j'aurais dû savoir me reposer sur lui. Un matin, j'ai reconnu une odeur familière dans la rue. J'avais déjà dépassé l'endroit de plusieurs mètres lorsqu'un souvenir a refait soudainement surface, passant du tréfonds de ma mémoire à la forme oubliée de ces boules de camphre que Maman s'obstinait à glisser dans nos armoires dans l'espoir vain d'en chasser les mites. Pendant un court instant, j'ai été transportée dans mon univers d'avant, tant et si bien que pendant quelques secondes, je ne savais plus avec certitude quel était le souvenir, quelle était la réalité. C'était encourageant.

Une autre fois, contre toute attente, j'ai reconnu des visages familiers : ce fut ma plus grande source de joie et mon choc le plus violent. J'ai aperçu la femme de l'épicier, la rousse et jadis flamboyante Marzia, arc-boutée sur la canne qu'elle tenait à la main. La plantureuse rouquine avait laissé place à un corps sec et décharné, bouleversant et incertain. Il y avait longtemps que son mari n'était plus et que ses enfants étaient partis vivre leur vie au loin, mais elle était toujours là, elle était vivante ! Passé l'instant de surprise et de bonheur, j'ai fondu en larmes. Sa transformation me rappelait douloureusement celle qui, à l'intérieur de moi-même, s'opérait. J'ai hésité, mais je n'ai pas pu trouver en moi le courage de la saluer… Trop de temps avait passé. Une autre fois peut-être. J'ai poursuivi ma promenade en gonflant exagérément mes poumons d'air frais, afin que l'oxygène grise assez mon cerveau pour me donner le courage de continuer. J'ai reconnu d'autres visages. C'était si surprenant que j'ai fini par refouler mes larmes et m'en amuser. La vie avait repris le dessus. Le même homme tenait le bar Internazionale où nous allions prendre le petit déjeuner ! Il n'avait pas changé ! Comment a-t-il fait ? Les *cornetti* seraient-ils aussi les mêmes ? Incroyable ! À l'église Santa Maria Assunta, le même prêtre officiait, le padre Francesco de notre profession de foi qui à l'époque avait vingt-sept ans à peine. Et il était toujours beau. À la plage, c'était le même homme qui attribuait les chaises longues aux touristes, Il Capitano. Incroyable ! Cinquante ans après. Ils sont vivants !

Ces gens, hier en périphérie de ma vie, prenaient à présent une énorme importance. Ils étaient les seuls témoins de mon passé. Les seuls qui pouvaient me dire avec certitude, à moi comme au monde, que nous avions vécu et existé ici, ensemble. Que la vie avait été, en partie, exactement telle que je me la rappelais. Pourtant, pour chaque personne reconnue, combien d'autres visages avaient disparu ? Même si je m'en doutais, j'évitais encore le moment de m'y confronter, de poser des questions. Le cycle de la vie se déroulait en accéléré devant moi : qui était vivant, était mort, était devenu quel homme ou quelle femme, était né, avait eu des enfants qui à leur tour avaient eu des enfants qui avaient des enfants maintenant. Certes, je n'avais pas vraiment imaginé retrouver Positano à l'identique, ni que la vie s'y fût figée comme dans mon souvenir en attendant de reprendre un jour son cours avec moi. Pourtant, il semblait qu'une part de moi n'avait pu s'empêcher de l'espérer.

Je multiplie depuis les promenades pendant que je le peux encore. Il y a tant de choses que je n'ai jamais vues (ou les ai-je oubliées ?), comme on a tendance à ne pas voir les choses qui sont à portée de main et qu'on croit pouvoir voir n'importe quand. Il y a donc peut-être, si je le veux, un lien nouveau à tisser entre Positano et moi, affranchi du passé. Si j'en ai le temps…

Mais pour ce faire, il faudrait que je tue l'enfant qui au fond de moi a motivé ce voyage. Elle est là à soixante-huit ans qui ne meurt jamais, pleine de panache, incroyablement vivante, espiègle, croquant la vie avec fougue de toutes ses dents de lait. Je la revois courir à toute allure, sauter les volées de marches, défier avec malice père, mère, cousins, oncles et tantes, je la revois comme si c'était hier, débordant de vitalité et de confiance, une enfant qui avait tout l'avenir devant elle et qui ne doutait de rien. Une enfant toujours vivante, prise au piège dans la cage de mes souvenirs, une petite fille qui court encore, qui n'a pas pu mourir, qui n'a pas su mourir, qui se débat et grimace dans un monde intérieur, souffrant de l'oxygène trop rare qui lui parvient au travers du cordon ténu qui la relie à la femme qu'elle est devenue. Aurai-je maintenant le courage que je n'ai pas eu une vie durant ? Le courage de grandir et de la libérer ? De la délivrer et de la laisser au passé auquel elle appartient. Une petite fille que, de surcroît, j'ai trahie : la petite Clara aurait-elle vraiment laissé un Gamal entrer dans sa vie ?

11

Gamal

Je ne savais pas quoi faire de moi-même, de mon corps, de mes journées, de mes idées. Des lignes invisibles avaient bougé, qui avaient insensiblement rebattu les cartes mais sans me les montrer. J'étais toujours dans le boudoir de Clara, où je passais le plus clair de mon temps à observer les mouvements de la rue pavée. Il y avait dans le ballet des passants une monotonie rassurante qui endormait et gardait les choses à distance, une chorégraphie monocorde et sans éclat qui ensablait les méandres de ma pensée. Ma seule crainte était qu'elle soit rompue, comme cela arriverait immanquablement. Alors je restais posté là, derrière une vitre où tout était morne et prévisible, dans une contrée insipide et sans obstacle dans laquelle le sol ne se dérobait jamais. Ma vie était devenue une fenêtre. Vers quoi ?

Je ne savais combien de temps je pourrais tenir comme cela... Je ne pouvais pas toujours m'empêcher de penser.

« Mais quelle volonté ? Clara est partie parce qu'elle était désespérée !

– Désespérée de quoi ? »

Clara... Le besoin sans fond, immense et enfantin qu'elle avait de moi. Sa façon de réajuster la mèche qui tombait toujours de son chignon, avec les années toujours plus lâche, plus souple, plus blanc. Sa façon d'enlever ses lunettes quand elle voulait me regarder, de baisser les yeux quand elle voulait me voir. Clara, la femme que j'avais épousée, ma compagne de douceur qui attendait mon retour le soir, téléphonait anxieusement pour savoir si mon avion était arrivé, celle avec qui je partageais lectures et doutes, expositions et récitals, la femme à laquelle j'avais refusé un enfant. Clara qui était partie comme une voleuse, bien innocente pourtant, en ignorant le pouvoir qu'elle avait sur les choses et sur les gens, et tout ce qu'elle leur dérobait. C'était d'ailleurs ce qui m'avait séduit en elle, cette innocence, sa naïveté. C'était aussi ce qui l'avait limitée. N'ayant pas conscience de sa valeur, Clara était souvent restée en marge des choses, timide, peu assurée, demandant peu pour elle-même. Ce n'était pas de l'humilité comme je l'avais cru les premiers mois de notre rencontre, mais un malentendu déplorablement cristallisé au cœur d'elle-même. Aveugle à sa force et à sa propre richesse, Clara avait cherché un roc auquel s'agripper de ses petites mains apeurées au lieu d'embrasser le monde avec aplomb et confiance : m'avoir choisi était à cet égard, sans doute, un choix discutable. Et c'était une erreur que j'aurais dû réparer. Je n'avais pas de photos d'elle dans mes albums. Pas de photos de nous. C'était chez Howard qu'il y en avait. Je ne me demandais même plus depuis combien de temps il avait aimé Clara ni s'ils avaient été amants. Je ne me demandais plus, pour l'heure, ce qu'il savait de sa disparition et comment la phrase gravée au dos de la montre que je portais au poignet était parvenue à la connaissance de Clara. Cette fois-ci, c'était à moi-même qu'il fallait tendre le miroir. Et bien sûr, je n'aimais pas ce que j'y voyais.

J'avais eu beau jeu de juger Howard pour les choix qu'il avait et n'avait pas faits, de le tenir pour responsable par son inaction et son refus de l'engagement des bombes qui étaient tombées sur la tête de millions d'innocents. Je m'étais donné le beau rôle en le classant, au nom de notre amitié, au rang de « couard pardonné », absous par le vertueux Gamal. Avec le même manque notable de clairvoyance, j'avais commencé par m'interroger sur son rôle dans la disparition de Clara au lieu de m'interroger sur le mien.

« Clara est partie parce qu'elle était désespérée ! »

Comment, après la vie que j'avais passée, égrénée aux quatre coins du monde, à mépriser rageusement tout obstacle et à honnir la médiocrité, à ajouter de la dimension à ma vie, des pans, de l'épaisseur, du champ, de la matière, comment avais-je, moi entre tous, été incapable de prendre la défense d'une femme contre elle-même ? La simple défense d'une femme contre elle-même… J'aurais dû rompre avec Clara et la pousser à partir faire sa vie ailleurs. À avoir les enfants qu'elle désirait. Si j'avais fait preuve d'un peu plus de sensibilité, et d'honnêteté peut-être, je me serais aperçu à temps que c'était par dépendance affective qu'elle restait et non pas en vertu d'un choix mûr et serein. Mes idées de liberté et de respect pour la décision d'autrui valaient pour moi-même ou pour quelqu'un qui fonctionnait comme moi. Mais elles étaient totalement étrangères aux motivations de Clara. Les gens étaient de grandes personnes, matures et responsables d'elles-mêmes, capables de prendre les décisions qui leur convenaient. C'était un crédit que j'accordais à tous d'avance. C'était un crédit que je n'aurais pas dû accorder à Clara. Quelle qu'ait été la raison qui l'avait poussée à s'en aller, Howard avait raison : elle voulait que je vienne la chercher, sinon elle n'aurait pas laissé la carte de Magritte dans le coffre de ma Bentley. Et j'avais regardé partout, sauf là.

12

Howard

Cela faisait trois jours que j'étais à Positano. Sous la pluie, une éternité. Giuliana et moi nous retrouvions tous les après-midi, tantôt au salon de mon hôtel, tantôt au restaurant, tantôt au cimetière. Dans le village déserté par les touristes, j'en profitais pour me reposer et me laisser choyer par le personnel de l'hôtel inoccupé. Je regrettais de ne pas être parti en Floride. Quand en plus je lui avais dit combien de cigares j'avais fumés, mon docteur m'avait quasiment raccroché au nez. Heureusement, Giuliana rendait ce séjour et les circonstances moins douloureuses. Elle n'avait pas changé. Elle avait les mêmes yeux verts à l'éclat rieur que Clara. Giuliana (qui m'appelait « Owaaardo ») acceptait ma présence auprès d'elle avec bienveillance, en mémoire de Clara et de notre amitié. Il me semblait même qu'elle ne séjournait plus à Positano que lorsque j'y étais. Elle louait une petite chambre dans une pension de famille située à côté de leur ancienne villa. Après la mort de Clara, Giuliana avait vendu la maison. Une autre famille lui donnait désormais une nouvelle histoire.

Giuliana me parlait avec passion pendant des heures, comme si j'étais la dernière personne sur terre à laquelle elle parlerait jamais, comme si je comprenais ce qu'elle disait. Elle s'emportait à propos de je ne sais quel sujet avant d'en choisir un autre, dessinant d'hypothétiques solutions ou d'improbables coupables, quêtant fébrilement un signe d'approbation de ma part avant d'éclater de rire devant ma mine décomposée. Sa présence me réconfortait. Elle me donnait la sensation de posséder de Clara quelque chose que ne possédait pas Gamal. La pauvre croyait que je l'avais informé de la mort de Clara comme elle m'en avait prié. Elle ne m'avait jamais demandé pourquoi il n'était pas venu. Je m'étais bien gardé d'aborder le sujet.

Giuliana m'apaisait. Elle rendait de la vie à Clara. Elle me donnait le sentiment que je lui en avais moins pris et que ma faute envers elle se réparait. Car si je ne m'étais pas comporté comme je l'avais fait à la fin de notre dernier dîner, Clara serait peut-être encore en vie aujourd'hui, elle se serait peut-être soignée. J'avais toujours tenu Gamal pour responsable de son départ, les années d'indifférence qu'il lui avait infligées m'ayant procuré les munitions dont j'avais besoin pour refaire l'histoire jusqu'à la changer. Mais Giuliana avait envoyé les carnets de Clara et leur lecture avait projeté une lumière crue sur les arrangements corrompus de ma mémoire.

Gamal portait tous les jours à son poignet la raison du départ de Clara et il l'ignorait. Les secrets parviennent toujours tôt ou tard à la connaissance de celui que l'on épargne et immanquablement, il n'y avait pas eu d'exception pour Clara. Elle avait porté la montre de Gamal à réparer, un vieux modèle au sujet duquel je l'avais longtemps moqué avant de finir par m'acheter le même, évidemment. Il y avait une inscription en arabe gravée au verso du cadran, ce qui n'avait rien de remarquable puisque Gamal, à moitié égyptien et à moitié anglais, avait passé sa jeunesse au Caire. Ce qu'il y avait de remarquable en revanche pour Clara, c'était l'insistance qu'avait mise l'horloger, un Libanais aussi joyeux qu'exubérant, à l'appeler Rimah. Il avait en outre établi sa facture au nom de « Madame Rimah Wadid ».

Clara, qui avait adopté le nom de Gamal après leur mariage, s'appelait bien Wadid. Mais qui était Rimah ? Alors que Clara lui posait la question, l'horloger avait subitement perdu toute bonhomie, s'empressant dans son magasin avec quelque confusion gênée, visiblement désireux de changer de sujet. Il avait bredouillé quelque explication peu convaincante tout en établissant une nouvelle facture au nom de Madame Wadid : « Voilà ! »

Mais Clara ne le laissa pas se dérober.

« Qui est Rimah ?

– Je ne sais pas.

– Vous n'avez pourtant pas sorti ce nom de votre chapeau, n'est-ce pas ? »

Elle le somma de s'expliquer et il lui traduisit l'inscription à contrecœur.

Clara avait ensuite organisé notre tête-à-tête.

Quand elle me tendit la carte en m'expliquant d'où l'inscription provenait, je fus envahi par une colère noire. Qui blâmer, de l'alcool, des années de frustration, de la colère, de la trahison ou de la peine ? Qui savait dans quel ordre et dans quelle mesure chacun de ces facteurs m'avait influencé… Alors je dis la vérité à Clara et, malheureusement, peut-être un peu plus que la vérité… Aveuglé par ma colère, je m'étais abaissé à un monologue que je savais destructeur, aux mots calmement pesés. Pas de trahison des images ou alors à peine, il s'agissait bien de ce à quoi les choses ressemblaient. Rimah était le grand amour de Gamal, la seule femme qu'il ait jamais aimée. Mais c'était il y a longtemps, avant même qu'il ne fasse la connaissance de Clara, l'inscription devait d'ailleurs remonter à 1982 ou 1984. C'était donc du passé, du temps révolu, de la poussière de l'histoire. Il avait été fou amoureux d'elle, elle attendait un enfant, cet enfant n'était pas né, c'était il y a si longtemps. Je retournais avec maestria le couteau dans la plaie. Clara, comme je le prévoyais, n'entendit rien de tout ce que je disais, ne retenant qu'un seul mot de la litanie que je prononçai ce soir-là : « enfant ». Voici, ma chère Clara, ce que l'on ressent lorsque l'on est bafoué par l'être que l'on aime !

C'était à tout point de vue un calcul hasardeux de ma part. Clara s'en prendrait à Gamal qui me demanderait forcément des explications. Sauf que, contre toute attente, elle ne l'avait pas fait. Quelques jours plus tard, elle avait disparu. Je n'avais jamais eu à me justifier. Au début, cela m'avait tranquillisé. Puis, les jours passant, j'avais commencé à m'inquiéter. L'avais-je donc blessée à ce point ? Allais-je la revoir ? Gamal me rendait fou à ne pas la chercher, à rester assis des heures dans son fauteuil à lire, à réfléchir, à quoi ? – sans se démener pour la retrouver, pour la ramener en sécurité chez elle et me soulager de ma culpabilité.

Je repensais souvent à ces deux femmes, à Clara qui avait fui et à Rimah dont le souvenir n'avait revécu, par ma faute, que dans la jalousie de Clara. Durant les reportages qui avaient vu naître et s'épanouir leur passion, Rimah avait fait graver sur la montre que Gamal portait à son poignet :

« Tu es toujours mon amour. Parfois, tu n'es que mon amour. Rimah. »

13

Clara

Positano, octobre 2008.
Journal pour toi qui voudras bien le lire

Mes forces déclinent plus rapidement que je ne le pensais... Je me fatigue vite, les gestes du quotidien me demandent parfois des efforts insensés. J'avais pourtant cru trouver un arrangement avec ma maladie : le matin elle me laissait tranquille – je me promenais et j'écrivais les pages de ce carnet –, l'après-midi je me reposais et la laissais progresser. Mais la fâcheuse semble vouloir rompre les termes de notre accord, elle devient de plus en plus exigeante et rogne sur mes matinées. Si elle continue, je vais me soigner. Giuliana me presse de le faire. La pauvre n'a pu masquer le choc qu'elle a éprouvé en me revoyant. Elle en était si peinée qu'à court de réflexes, je me suis bêtement excusée. Elle ne cesse de répéter :

« *Clara, questo non lo accetto e non si deve accettare. Devi combattere, combatteremo insieme*[1]. » Elle m'assied de force trois fois par jour à ses côtés pour me contraindre à manger les quantités exubérantes qu'elle a préparées. Alors je mange autant que je le peux parce que je sais bien que me voir reprendre des forces va, elle, l'aider. Elle a décidé de prolonger son séjour pour rester avec moi, de retrouvailles en adieu improvisé, « *Altrimenti chi si prenderà cura di te*[2] *?* ». J'ai fini par céder, même si parfois je le regrette. Sa présence manque par moments de m'étouffer et me donne l'impression d'avoir échappé à une prison pour en trouver une autre. Je m'éclipse dans ma chambre en prétextant vouloir me reposer. Je m'imprègne de la montagne que j'observe par la fenêtre et de la brise qui m'apporte les parfums d'une mer absurdement bleue.

Je savoure et grave tout cela dans mon cœur. Si seulement cette béatitude immobile pouvait me transmettre un peu de son éternité ! Au loin, les nuages, rares, semblent avoir été esquissés au pinceau d'une

---

1. « Clara, ceci je ne l'accepte pas et tu ne devrais pas non plus l'accepter. Tu dois te battre, nous devons nous battre ensemble. »

2. « Autrement, qui s'occupera de toi ? »

main indécise, parfois tout en épaisseur, parfois tout en transparence, comme un arbitrage impossible entre le ciel et le blanc, le lumineux et l'opaque, l'illusion et la matière. Un peu comme ma vie auprès de Gamal : un arbitrage impossible entre tout ce qu'elle m'a apporté et tout ce que je me suis volé à moi-même. Car finalement, c'est moi qui ai trahi tout ce en quoi j'ai cru : pas de longue vie, pas de Clara conquérant le monde, pas d'enfant, pas de mari aimant à mes côtés. J'avais pourtant une vision précise de la vie que je voulais. Si précise que j'ai poursuivi mon idéal irrationnellement, préférant forcer le rêve sur la réalité plutôt que de m'interroger sur son réalisme. L'image d'Épinal du couple de mes parents disparus dans laquelle je me suis emmurée y a sans doute contribué. Je ne voulais pas d'un bonheur qui n'honore pas le leur ou d'un amour qui n'égale pas sa pureté. C'était la seule façon de les faire revivre : être comme eux. Aujourd'hui, je comprends que je ne sais pas grand-chose du couple qu'ils formaient. Étaient-ils vraiment heureux ou me protégeaient-ils ? Le plus incompréhensible de tout, c'est qu'après m'être attachée à mon idéal avec l'acharnement du chiot qui refuse de lâcher son nouveau jouet, j'ai fini par faire la pire des concessions qui soient. Le temps passait. Mon horloge biologique tournait. J'étais en bout de course, seule, épuisée. Il fallait que je change ma vie, que je dépose les armes. Il fallait que je tombe amoureuse pour me compléter. J'ai rencontré Gamal à un gala de charité où il avait mis aux enchères deux de ses plus célèbres photos de guerre : *Lipstick* et *Little King*. Ce fut le coup de foudre immédiat : sa prestance, son charisme, sa voix grave, ses yeux de braise, sa virilité primaire, tout m'envoûta. Cet homme, grand, fort, très brun, masculin, donnait un merveilleux vernis à mon besoin d'aimer.

Portée par un sentiment d'évidence, je résolus sur-le-champ qu'il était celui que j'avais attendu toute ma vie, le seul digne d'honorer mon père. Quand, très rapidement, il m'informa qu'il ne voulait pas d'enfant, je ne m'étais pas découragée. J'avais la conviction que je pourrais le faire changer. Car sous ses airs inébranlables, Gamal cachait avec tant d'application sa vulnérabilité que je ne voyais plus qu'elle : ma porte d'accès présumée à son intimité. Comme je me trompais ! Avec le temps, je me suis accommodée de ma vie telle qu'elle était. J'étais devenue trop vieille pour mon désir d'enfant. Avec qui d'autre en aurais-je eu ? Avec qui aurais-je fait mon chemin ? C'est ainsi que mon idéal s'est élimé sur la lame de la résignation et du renoncement, jusqu'à ce qu'il n'en reste plus qu'un film transparent. Alors mon ventre est resté vide et, malgré les signaux d'alerte, je ne voulais toujours pas admettre que je m'étais trompée. J'ai suivi tête baissée un chemin dont je n'ai jamais voulu questionner ni le tracé ni les motivations. Pourtant, aucun homme ne vaut la peine que l'on renonce à avoir un enfant.

Arbitrage impossible, vraiment ? Au fond, pendant toutes ces années, n'ai-je pas pensé qu'à moi ? Que m'importait ce que voulait Gamal du moment que je m'étais convaincue de savoir ce qu'il lui fallait ? Comme j'ai pu lui en vouloir de ne pas rentrer dans la case que je lui avais façonnée dans mon monde idéal ! Au lieu de m'en aller et de cesser de me comporter en spectatrice impuissante de mon existence. Au lieu d'accepter l'évidence, la vraie, et de trouver le courage de m'en aller. La maladie, dans ses ressorts imprévus, une fois que tout est dépouillé, aura au moins apporté cela de positif. En m'ouvrant les yeux, elle m'a désenglué les ailes et je me suis retrouvée il y a quelques mois comme un petit oiseau avec une paire toute neuve à essayer. Que fait-on quand soudainement on a des ailes ? On s'envole.

C'est ce que j'ai fait, et maintenant que je suis à Positano, je n'ai plus ni la force ni l'envie de rentrer.

14

Howard

Le temps était venu de faire mes adieux à Giuliana. « *Ci vediamo l'anno prossimo*[1] *!* » avais-je dit gaiement en l'embrassant. Il faisait froid ce matin-là, les bourrasques giflaient mon visage, mes os étaient glacés. En réajustant mon écharpe sur ma gorge douloureuse, la pensée m'avait effleuré qu'il était dommage que Clara ne soit pas morte en juillet. Mon taxi attendait. Au travers de la vitre baissée, je constatai avec soulagement que ce n'était pas le même chauffeur qu'à l'aller. J'étais venu rendre hommage à Clara, j'avais donné au fleuriste son argent pour l'année. Le temps était venu de retourner à Londres affronter Gamal. Au moment d'entrer dans la voiture, pressentant au fond de moi que je ne reviendrais jamais, je ressentis le besoin impérieux de serrer

1. « À l'année prochaine ! »

Giuliana dans mes bras. Sans plus réfléchir, je me laissai envahir par la douceur de cette étreinte et un puissant sentiment de paix. Ma sérénité vola en éclats quelques minutes plus tard, quand le regard lumineux, généreux et plein d'amour de Giuliana se posa sur moi, me diminuant plus sûrement qu'aucune chose ne l'aurait fait. « *Grazie di tutto, Howard. Che Dio la protegga*[1]. »

Il y a des fautes que l'on ne peut oublier. On a beau les enfouir, les nier, les enrober, tenter les excuses, les explications, l'amende honorable, laisser les années passer, rien n'y fait. Il y a des fautes qui, où que l'on regarde, vous sautent toujours au visage.

Quand Clara était partie, ma propre réaction m'avait déconcerté. J'avais toujours pensé que le jour où elle quitterait Gamal m'emplirait d'allégresse. Or, lorsque ce jour était arrivé, je n'avais pas été heureux, mais soulagé. Une force intérieure émergeait, me procurant un apaisement intense, une énergie nouvelle. Le départ de Clara m'avait délivré du poids de ne pas avoir su la faire mienne. C'était comme si je pouvais à nouveau vivre, respirer. Clara disparue du paysage, les verrous de mon monde intérieur avaient sauté et mon univers avait retrouvé sa dimension

1. « Merci pour tout, Howard. Que Dieu te protège. »

initiale. Cela faisait trente ans que je vivais dans l'incomplétude ! Grisé par cet élan vital, dans les moments dont j'étais le moins fier, l'idée me traversait que Clara ait pu se suicider et que Gamal devrait continuer sa vie avec sa mort sur la conscience. Cette pensée m'emplissait brièvement d'une gaieté terrifiante avant de me glacer. D'autres fois, je me surprenais à ne pas vouloir qu'elle revienne. Elle s'était moquée de moi. Où qu'elle soit, tant pis pour elle.

Cet état de semi-grâce prit fin brutalement lorsque Giuliana envoya le journal de Clara, quelques semaines après sa mort. Bien qu'il ne s'adressât évidemment pas à moi, je compris en le lisant que j'avais contribué à pousser une femme malade vers plus de solitude que sa vie n'en comptait déjà. Mon monde avait rétréci de nouveau, les verrous s'étaient remis en place et je m'étais senti piteux comme un joueur pris en faute tentant désespérément de récupérer sa mise. Mais je ne pouvais pas reprendre les paroles que j'avais prononcées. Les mots de Clara, qui étaient là devant moi, me faisaient face sans ambiguïté : « J'ai fini par faire la pire des concessions qui soient », « c'est moi qui ai trahi tout ce en quoi j'ai cru », « pas de Clara conquérant le monde, pas d'enfant », « quand il m'informa qu'il ne voulait pas d'enfant, je ne m'étais pas découragée », « j'étais devenue trop vieille pour mon désir d'enfant », « mon ventre est resté vide », « aucun homme ne vaut la peine que l'on renonce à avoir un enfant », « l'enfant qu'ils ont failli avoir ensemble ».

Rimah n'avait jamais été enceinte, j'avais menti.

15

Gamal

J'avais fait monter dans le boudoir de Clara tout le contenu du coffre de ma Bentley. Puisque c'était le seul endroit dans lequel je n'avais pas regardé, il y avait peut-être autre chose qui m'avait échappé, un autre message de Clara. « Gamal part et laisse tout derrière lui. » Maintenant, tout était devant moi.

De grands cartons blancs aux coins argentés remplissaient la moitié de la pièce, masquant les papillons turquoise qui tapissaient les murs du boudoir de Clara. Les rais d'un soleil ivoire filtraient par la fenêtre, imprégnant la pièce d'une atmosphère feutrée quasi intemporelle dans laquelle dansaient insensiblement de fines particules de poussière. Qu'avait fait Clara quand elle était venue dissimuler la carte dans mes affaires ? Pourquoi avait-elle choisi ce livre ? Avait-elle tout lu, tout ouvert ?

Je commençai par la boîte dans laquelle j'avais découvert la carte postale de Magritte et trouvé le petit livre dont la couverture en cuir avait achevé de se fissurer. Il traitait de la fin de l'Empire britannique et de la nationalisation du canal de Suez. Je ne voyais pas de lien apparent avec la carte, Clara ou moi-même… peut-être y avait-elle tout simplement glissé ? M'asseyant sur le secrétaire en acajou de ma femme, j'entrepris la lecture de ces feuillets depuis longtemps oubliés. La lecture de mon histoire. Tournant les pages légèrement moisies, je m'arrêtai à la journée du 26 janvier 1952, celle où mon cinéma avait brûlé. Dieu que la journée avait pourtant bien commencé ! C'était mon anniversaire, ma mère m'avait promis de m'emmener au cinéma et d'aller avant la séance au café Groppi où je pourrais choisir la pâtisserie que je voulais. J'avais opté pour des dattes au chocolat. Je me souvenais encore du titre du film que j'avais choisi, *Le Fils du Nil*, de Youssef Chahine, car j'avais entendu dire à l'école que c'était le premier film réalisé sur nous, les Égyptiens de maintenant. Comme si avant, le monde croyait que nous étions tous des pharaons ! J'avais attendu toute la matinée que ma mère rentre, tournant en rond dans ma chambre, tentant de me concentrer pour faire mes devoirs. J'avais bondi comme un cabri à son appel, jetant mon crayon sur le bois vermoulu de mon bureau d'écolier, ivre d'excitation de l'avoir pour moi toute la journée. Le barbier venait de me couper les cheveux. Je portais une élégante chemise en coton blanc directement issue de l'usine de mon père. J'étais beau, j'avais dix ans. Je n'ai jamais écrit sur ce qui s'est passé ce jour-là, ni les années qui ont suivi, ni jamais. Les images sont gravées dans ma mémoire avec tant de précision qu'elles me semblent déjà retranscrites et passées à la postérité, au patrimoine immémorial de la bêtise humaine. Mes mots ne feraient que les abîmer.

Nous ne sommes jamais arrivés au cinéma. Avant de nous en rendre compte, nous fûmes pris en étau, coincés au milieu d'une foule galvanisée qui hurlait autour d'un petit groupe d'hommes armés. Cris et insultes fusaient de toute part, des volées de bouteilles incendiaires et d'explosifs pleuvaient sur les bars et les cafés. L'air saturé d'effluves d'essence brûlée disparaissait derrière une fumée noire et âcre qui nous condamnait à l'intérieur d'une sphère opaque. Les événements s'enchaînèrent très rapidement, sans que nous puissions faire quoi que ce soit pour les comprendre, encore moins les empêcher. Dès qu'un établissement abdiquait sous les flammes, un autre était attaqué : bars, restaurants, magasins, cinémas, cafés, tout y passait. La foule se livrait à une destruction méthodique de mon quartier, vidant les établissements de leurs meubles et marchandises, les aspergeant de litres d'essence pour les transformer en brasiers gigantesques qui happaient le bleu du ciel dans une danse macabre. Sous mes yeux terrifiés, le café Groppi s'effondra dans un fracas assourdissant.

Mais la foule n'en avait pas encore eu assez, elle n'avait pas accompli son dessein. Elle poursuivait sa descente dans les rues, pillant, brûlant, hurlant « À mort les Anglais ! ». Je vis, muet de stupeur, l'enseigne du mythique Turf Club[1] se disloquer. Je vis les clients, surpris par les flammes, sortir en hurlant, tentant de fuir le bâtiment embrasé. Mais la foule ne pensait pas, elle ne réfléchissait plus. Enivrée par sa rage et les effluves des bouteilles d'alcool qui brûlaient, elle les repoussa dans le brasier. La foule n'était plus qu'une seule et même bête à laquelle les hommes avaient collectivement, se justifiant les uns les autres, abdiqué leur volonté. Ils portèrent en triomphe dans la rue les corps encore fumants comme des trophées diffusant une odeur de chair brûlée qui me hanterait

1. Club réservé à la clientèle étrangère, essentiellement britannique.

toute ma jeunesse. Tétanisé, je ne bougeais pas un muscle et je n'étais pas le seul : les camions de police et de pompiers étaient restés là, immobiles, impassibles, à observer calmement la ville qui brûlait. Policiers et pompiers ne levèrent pas le petit doigt. Ce fut ce jour-là que naquit ma vocation de reporter : j'allais moi, désormais, bouger tous les doigts.

Les odeurs d'essence et de brûlé me donnaient des haut-le-cœur. Je levai des yeux désespérés sur ma mère, qui était anglaise et qui restait pétrifiée. Je secouai violemment sa main en hurlant, gesticulant de toute la force de mon petit corps pour la faire réagir. Elle finit par se ressaisir en posant les yeux sur moi. Son visage s'adoucit avant de se durcir aussitôt, elle saisit ma main qu'elle broya et força notre chemin en courant, fendant la foule haineuse, butant sur les corps et les gravats, avec la détermination que seuls les parents qui protègent leur enfant peuvent manifester. Des dizaines d'hommes périrent. On ne sut jamais combien. Les hurlements de ces pauvres hères me poursuivirent jusque dans mon lit et me tinrent éveillé toute la nuit. J'en fis des cauchemars pendant trois ans, me réveillant en sursaut le corps trempé de sueur, flanqué d'un terrible mal aux dents. Trois ans, c'est long en temps d'enfant. Je ne savais pas alors que je revivrais ce triste scénario très prochainement dans ma jeune vie et que je le revivrais dans les yeux de milliers de gens au cours de ma carrière, des yeux qu'Howard n'avait jamais contemplés, des cris qu'il n'avait jamais entendus, des odeurs qu'il n'avait jamais voulu sentir. Je refermai le livre en soupirant. Les crises, la violence, la guerre... J'avais cohabité avec depuis très longtemps. Elles faisaient probablement partie de mon patrimoine génétique. Depuis cet épisode vécu du haut de mes dix ans et au train où allait le monde, après les horreurs de la Seconde Guerre mondiale et en plein spectre de la guerre froide, je n'espérais qu'une chose : qu'avec un peu de chance, je sois grand à temps pour couvrir la Troisième Guerre mondiale et le changer, ce monde. Les bouger, ces doigts. Howard pensait qu'il n'y avait rien à changer, que de cycle en cycle le monde suivrait inexorablement sa course, que je l'accepte ou non, mais j'aimais tout de même croire que, de petites pierres en modestes édifices, le destin d'une ou deux personnes à la fois, j'avais un peu changé le monde, le monde et la vie des personnes au nom desquelles j'avais témoigné.

16

Howard

J'avais repris possession des étages sombres et larges de ma maison de Thurloe Square. M'enveloppant de leur insondable silence, je ne tolérais que les crépitements des pommes de pin que je jetais tour à tour dans la cheminée. Je n'aspirais qu'à une chose : passer quelques jours seul, chez moi, sans penser à rien ni parler à personne, une tasse de thé fumant à mes côtés.

Dans l'avion qui m'avait ramené à Londres la veille, j'avais décidé de ne plus retourner à Positano. Je pourrais très bien vivre sans revoir Giuliana. Elle pourrait très bien vivre sans me revoir, elle aussi. Je ne voulais plus m'imposer un autre de ces pèlerinages pénitences. Ils ne faisaient que me vider. À quoi bon ? Gamal savait que Clara était morte. Disparue, tout comme mon amour pour elle. Plus d'amour, plus de secret, il était temps que ma vie reprenne.

Sans surprise, Gamal n'avait pas essayé de me contacter pendant mon absence. Parmi la trentaine de messages qui encombraient mon répondeur, il n'y avait pas un signe de lui. À quoi d'autre m'attendais-je ? Il ne changerait jamais. Gamal était le fils dont aurait rêvé mon père. Ils partageaient la même inflexibilité. Si nous avions été frères, c'est lui qu'il aurait préféré. Malheureusement pour mon père, la vie l'avait privé du luxe d'avoir un choix. C'était une déception dont il n'avait pu se remettre, composer avec le médiocre petit Howard, pire, devoir le présenter dans ses cercles comme son héritier. « Toute famille possède en son sein une pomme pourrie. » Il m'avait fallu plusieurs années avant de comprendre qu'il parlait de moi. Fils unique, j'avais été scolarisé au pensionnat d'Harrow, comme Winston Churchill, nombre d'autres Premiers ministres anglais et tous les hommes de la famille avant moi. Harrow était la ligne zéro, le minimum non négociable duquel me propulser. C'est dire si les ambitions de mes parents pour moi avaient été dès le début élevées. Leurs souhaits de me voir entrer en politique et devenir essentiel à la destinée de notre empire, comme bon nombre de leurs espoirs pour moi, avaient atterri tout droit au bûcher des vanités. Ils s'étaient légitimement sentis déçus dès mon plus jeune âge lorsque j'avais infailliblement échoué à être le petit garçon qu'ils attendaient : pas assez combatif, pas assez persévérant, pas assez concentré ni doué au tennis, au golf, en arithmétique, pas assez beau ni assez grand.

Nos entrevues se limitaient à mes retours à Londres aux vacances scolaires, pendant lesquelles mes parents partaient une fois sur deux, me laissant en tête à tête en compagnie d'une gouvernante volage avec laquelle je pillais les réserves de Glenfiddich de mon père. L'hiver, ils m'expédiaient à Saint-Moritz pendant qu'ils allaient chasser le lion en Tanzanie.

« Nous ne pouvons pas t'emmener, ce serait beaucoup trop dangereux et tu es notre unique héritier, avait décrété mon père, sans appel.

– Mais les Corbet et les Rayleigh emmènent leurs enfants, eux !

– Parce qu'ils sont imprudents et qu'ils ne se soucient pas d'eux comme nous de toi. »

Ma mère baissait les yeux et quittait la pièce.

J'avais été, comme Clara, un enfant unique et privilégié. Mais, contrairement à elle, j'avais grandi seul, entre un pensionnat conservateur et les domaines de chasse de mes parents que je ne voyais jamais, coulé de force dans le moule qui devait m'emmener d'Harrow à Oxford pour entamer une carrière dans la finance et faire mon chemin au sein des *tories*, au sommet. Au grand dam de mon père, je n'étais jamais entré ni en finance ni en politique. J'avais été journaliste, au prix d'un entêtement inqualifiable.

À sa mort, j'avais détruit tout ce que mon père avait bien dû me laisser, à commencer par sa résidence principale. J'en avais conçu le réaménagement afin qu'elle ressemblât le moins possible à celle qu'il avait habitée et j'avais démoli allégrement tout ce qu'elle contenait : adieu les moquettes tissées Axminster ! Adieu les lambris de chêne ! Détruits, les pilastres ! Démolis, les affreux plafonds ornementés et les lustres en cristal de Bohême ! Plâtrées, les niches abritant leurs antiques statues grecques, données ou annihilées elles aussi, selon mon humeur. Mon plus grand plaisir avait été de démanteler l'imposante cave à vins, fierté de mon père, que je dévalisais jadis à cœur joie quand je m'ennuyais. L'intégralité de sa collection de grands crus classés était partie à des ventes aux enchères caritatives dont j'avais utilisé le produit pour financer des écoles de filles au Ghana. Misogyne et raciste comme il l'était, la mise à sac de sa cave était ma plus belle réponse aux années de rejet et d'humiliation qu'il m'avait infligées. Il avait dû se retourner dans sa tombe. S'il n'avait pas été mort, il en aurait été malade. J'avais remplacé le trou béant par une cave à thés. J'étais particulièrement fier de ma cave à thés.

Fraîche, sombre, à peine aérée, aucune odeur et personne d'autre que moi ne pouvait y pénétrer. Elle abritait les trésors que j'acquérais à grands frais, connus de moi seul. Il fallait que je les protège : nous étions nombreux à nous battre férocement pour nous les approprier. Je conservais mes thés verts et mes thés blancs dans des boîtes en étain hermétiques à deux couvercles conçues et fabriquées spécialement pour moi, frappées de mes initiales à l'or fin. J'abritais mes thés noirs dans des jarres de grès que je faisais venir du Japon, pour permettre à leurs feuilles oxydées d'évoluer et de se conserver plusieurs années. Les merveilles qui reposaient dans cette cave valaient bien les grands crus classés. C'était la seule chose que j'avais bien voulu garder de mon père : un fin palais.

17

Clara

Positano, octobre 2008.
Journal pour toi qui voudras bien le lire.

Vas-tu me lire, Gamal ? Vas-tu venir ou devras-tu me lire ? Vas-tu me voir ou devras-tu te souvenir ? Trouveras-tu la carte que je t'ai laissée le jour où j'ai repris la photo de ma villa ? Trouveras-tu la lettre avec le diagnostic du professeur Davies ? J'ai voulu t'en parler. J'ai cherché les mots pour le faire pendant que je digérais moi-même la nouvelle. Ce n'était ni facile à comprendre, ni facile à accepter. Les jours qui ont suivi ma visite au cabinet médical, j'étais perdue entre le choc, le déni et une incommensurable colère. J'étais furieuse contre la terre entière, contre moi-même, ma situation, mon état, mon corps. J'étais trop jeune, je n'avais rien fait, ce n'était pas juste, je ne voulais pas mourir. Je me suis affairée sans relâche dans la maison, combattant à bras-le-corps cette impression vertigineuse de dévisser du haut d'une montagne. J'ai classé toutes mes photos, planté des pivoines, taillé des rosiers, réorganisé ma bibliothèque par genre et par ordre alphabétique, nettoyé des chandeliers qui étaient déjà propres, je me suis inscrite à un cours de français, j'ai enfin franchi le pas : j'ai fait teindre mes cheveux. J'ai crié, cassé de la porcelaine, j'ai mis tous mes bijoux sur moi et suis allée réserver une croisière dans les Cyclades pour acheter du temps, me donner un but que les dieux que j'allais voir seraient trop injustes de me dérober.

J'ai apporté ta montre à réparer.

« Tu es toujours mon amour. Parfois tu n'es que mon amour. » Des mots magnifiques. Moi aussi, mon amour tu l'as été. Naturellement, en sortant de l'horlogerie, ce n'était pas en ces termes que je pensais. J'ai erré dans le quartier de Sloane Square, dans le miroir de Peter Jones, une demi-folle à l'air hagard, cheveux teints et une montagne de bijoux clinquants sur elle, m'a regardée éberluée. Tu aimais une autre femme. La fulgurance avec laquelle tout a été balayé, le maigre équilibre que j'avais tenté de maintenir depuis ma visite chez le docteur, les années, les décennies sur lesquelles je jetais un regard nouveau, m'interrogeant sur ce que j'avais toujours tenu pour vrai : ces conférences, y étais-tu vraiment allé ? Le poison du doute envahissait tout l'univers, écartait tout ce qui allait à son encontre, répondait à toutes mes questions. Le sol se dérobait sous mes pas, mon monde s'était écroulé. J'ai perdu pied. Comme tous ceux qui font naufrage, je me suis raccrochée à quelque chose pour ne pas sombrer : la question obsédante de savoir jusqu'où allait ton mensonge. J'avais renoncé à avoir des enfants, j'avais consacré ma vie à un homme qui me trahissait, et maintenant j'allais mourir ? Je voulais me venger, vivre, faire quelque chose de cathartique et de stupide. Je voulais me prouver que, contre vents et marées, je pouvais encore décider de la direction à donner à ma vie. Alors que tous les éléments se liguaient contre moi, je refusais de m'avouer vaincue. Et surtout, je voulais savoir.

Il n'y avait qu'une personne à interroger : Howard. Je savais qu'il te protégerait. Je savais aussi qu'il m'aimait. J'ai voulu faire d'une pierre deux coups : te tromper à mon tour et apprendre la vérité. Mais c'est une vérité inattendue que j'ai apprise à la place, qui n'avait rien à voir avec toi. En regardant Howard pour la première fois sous le jour d'un amant potentiel, en le voyant confiant, heureux, baisser sa garde devant moi, je n'ai pu m'empêcher de me demander tout au long de la soirée que nous avons passée ensemble ce qu'auraient été nos vies si nous nous étions laissés aller à un instant de faiblesse lui et moi. N'étions-nous pas deux solitudes flanquées d'un accompagnement de façade ? Moi avec toi, qui n'exprimais pas tes sentiments, lui avec ses conquêtes qui ne le satisfaisaient jamais ? Pourquoi n'ai-je jamais regardé un autre homme que toi ? En l'embrassant, j'embrassais celui que j'aurais dû depuis longtemps embrasser, je regardais celui que j'aurais dû depuis longtemps regarder, je regardais celui qui, des enfants, lui m'en aurait donné. Tant et si bien que quand j'ai appris que tu n'avais pas de liaison, mon cœur n'a pas retrouvé son chemin vers ma raison de vivre, vers toi. Il est resté dans des limbes éclairés par les yeux amoureux d'Howard. Que pouvais-je faire maintenant qu'il me restait quelques mois, au mieux quelques années à vivre ? Je ne pouvais tout de même pas te reprocher d'avoir voulu un enfant il y a plus de trente ans ! Alors quoi ? T'annoncer ma maladie et risquer de voir que même alors tu ne fléchirais pas, me laissant seule en lisière de ton affectivité ? Ou t'annoncer ma maladie et risquer de voir qu'au contraire c'est à cause d'elle que tu fléchirais ? Aucune de ces questions, à l'aune du temps qui m'était compté et de ma prise de conscience, ne m'a paru mériter de réponse ce soir-là. Le chronomètre était en marche et il me fallait désormais vivre de toute urgence.

18

Gamal

La nuit enveloppait le parc rassurant et immobile figé par l'air glacé. Tout était net et parfait, exsudant un bonheur tangible de conte de Noël, on aurait pu nouer un ruban de soie rouge et empaqueter tout le quartier. Derrière les fenêtres éclairées, de grands écrans de télévision bleutés égayaient la soirée. Il faisait nuit depuis le milieu de l'après-midi, comme toujours à Londres en février. À la lumière d'une lampe, j'observais l'écriture maladroite de Clara qui avait reproduit les idéogrammes arabes de la poésie de Rimah. Le choix du support, la manière, tout m'attristait. Qu'avait voulu me dire Clara avec cette carte ? Avait-elle tourné le dos à trente ans de mariage parce que j'avais aimé une autre femme avant elle, mon seul tort ayant été de ne pas lui en avoir parlé ? Qu'est-ce qu'Howard avait bien pu lui raconter ? Tout comme le tableau de Magritte n'était pas une pipe, mais la représentation possible d'une pipe, ce ne pouvait pas être Rimah qui avait chassé Clara mais la représentation que Clara s'était elle-même faite de Rimah. Clara s'était chassée elle-même parce qu'elle n'avait confiance ni en elle, ni en moi. Quand je l'avais demandée en mariage, ce que j'avais voulu lui dire, par ma carte à moi, c'était que les choses n'étaient pas toujours comme elles semblaient, que malgré ma réserve, je l'aimais. Je n'étais certes pas un homme de mots, un romantique comme elle le désirait, mais dans les faits, dans les actes, dans les preuves, j'avais tenu mes promesses. Comment cela pouvait-il être balayé par l'idée qu'elle se faisait d'une autre femme ?

J'avais rencontré Rimah au début des années quatre-vingt pendant le conflit qui opposait l'Iran à l'Irak, deux berceaux de l'humanité qui réunissaient ensemble une richesse culturelle et historique incalculable. Lorsque j'avais atterri dans la région, j'étais déjà un reporter expérimenté. Cela faisait vingt ans que je parcourais le monde de désastre en désastre, appareil photo à la main, de la crise des missiles de Cuba en passant par le Tchad et les innombrables conflits qui avaient secoué le continent africain. Les premières années, j'étais persuadé au début de chaque nouveau reportage avoir déjà vu ce qu'il y avait de pire dans l'être humain. Mais s'il y avait bien une chose que le terrain m'apprenait, c'était que la créativité des hommes était illimitée.

En arrivant en Iran, j'avais quarante-deux ans ; parfois, j'avais l'impression d'en avoir le triple. J'avais appris à contrôler ma peur et à contenir mes émotions. C'était devenu un mode de vie dont, même lors de mes rares retours à Londres, je restais prisonnier. Cette existence, de par sa nature, n'avait pas laissé place à autre chose. J'étais très souvent en déplacement, très souvent en danger. Absent quand je n'étais pas là, je l'étais aussi quand je rentrais, l'esprit resté aux combats que je venais de quitter. Aucune femme ne l'avait supporté. Tôt ou tard elles m'avaient toutes renvoyé à la figure la portion congrue que je leur offrais. Je ne pouvais pas les blâmer. Je ne pouvais pas non plus changer.

En Iran comme ailleurs, il fallait que je commence par tisser des contacts auprès des différentes parties en présence, que je rende les factions inaccessibles accessibles, que je déniche un chauffeur, un fixeur, que je suive les troupes de tel ou tel camp, que je trouve un moyen de faire parvenir mes clichés à Londres quand les lignes de téléphone étaient coupées, que j'arrive à me laver, à boire et à manger à une fréquence raisonnable sans me faire tuer ni blesser. La liste habituelle, comme toujours sans fin. En Iran toutefois, je partais d'une mauvaise posture. Depuis la révolution islamique qui avait balayé le pays quelques années auparavant, l'Iran avait rompu ses relations diplomatiques avec l'Égypte dont j'avais la nationalité, pour protester contre la conclusion des accords de paix avec Israël. J'avais donc besoin d'un allié.

Rimah travaillait comme journaliste pour une agence de presse française. C'était le deuxième conflit qu'elle couvrait et, jusqu'à ce jour, j'ignore ce qu'elle fuyait en venant se mettre dans ce bourbier inqualifiable. Dans l'hôtel qui abritait la plupart des journalistes, je l'avais vue assise par terre dans le hall de réception, tenant un appareil photo qu'elle essayait de réparer sans prêter attention au bandage qui se défaisait autour de son tibia ensanglanté ni à la cohue du personnel et des journalistes qui se ruaient vers l'abri le plus proche de l'hôtel. Penchée sur son Leica, indifférente aux bombes, à sa veste déchirée, à la plaie qui allait s'infecter une fois le bandage tombé, Rimah avait un comportement aberrant.

« Qu'est-ce que vous fabriquez ?

– J'attends le médecin. Pour ma jambe.

– Il ne viendra pas.

– Pourqu… ? »

Prenant soudainement conscience de l'effervescence autour d'elle, elle leva de grands yeux ébahis vers moi, cherchant un signe, un indice, un badge pour savoir qui j'étais. Leur couleur bronze illuminait un visage bordé de longues boucles brunes. Sans attendre plus longtemps, je saisis le garrot qui ne serrait plus sa jambe et le remis vigoureusement en place, lui arrachant un hurlement de douleur avant de l'aider à se relever.

En la soutenant pendant notre course vers l'abri, je ne pouvais m'empêcher d'observer à la dérobée son visage trop jeune, tellement déplacé dans sa délicatesse et sa naïveté, qui contrastait avec le décor de Téhéran aussi sûrement que ses yeux avec la saleté obstruant son visage ensanglanté. Sans qu'elle ait prononcé le moindre mot, je sus immédiatement que mes ennuis venaient seulement de commencer.

19

Howard

Je n'avais pas tenu trois jours seul chez moi. Cela faisait trente ans que j'épluchais la presse tous les jours avec Gamal, j'étais déstabilisé, je ne savais plus comment ordonner mes journées. À défaut d'une meilleure option, je m'étais rendu au Savile en quête de quelque visage familier. C'était là que je m'étais réfugié après avoir appris la mort de Clara, là que je m'étais emmuré après avoir annoncé sa mort à Gamal. J'avais besoin de parler, de rencontrer des personnes qui me demanderaient comment j'allais, qui me diraient que mon dernier éditorial était formidable et insisteraient pour que je m'assoie à leur table. J'avais besoin de retourner dans mon milieu. De me rasséréner. La majorité des membres du Savile venaient des mêmes écoles que j'avais fréquentées. Nous appartenions aux mêmes clubs. Nous nous comprenions, savions d'où nous venions, nous nous reconnaissions. Je m'y sentais en sécurité.

Assis à une table où l'on discutait du retrait par Moody's du triple A à l'Angleterre, je prenais part avec amusement à la conversation scandalisée, mordant dans une perdrix pochée tout en attaquant mon cinquième verre de chardonnay. Admirant la couleur délicatement dorée du vin que je faisais tourner dans mon verre, perdant peu à peu intérêt pour ces conversations déjà entendues, je me laissais emporter par les notes de jazz feutrées qui enveloppaient l'atmosphère. Les voix s'étouffaient imperceptiblement, se mêlant aux notes de musique aériennes, et je ne comptais plus les A, les A n'avaient pas d'importance, non plus que l'Angleterre, j'étais hypnotisé par le mouvement du vin dans mon verre et les visages flous des convives attablés, bercé par les rires se mêlant aux saxophones, me ramenant au souvenir flottant de ces soirées où rires et flashs crépitaient comme dans un show flamboyant à Las Vegas. Glissant avec complaisance dans l'antre de mes vieux démons, je me remémorais ces années d'humiliation à recevoir en son nom les prix qui étaient décernés à Gamal.

« Malheureusement, Gamal Wadid ne peut être parmi nous ce soir mais il m'a chargé de vous faire part de sa gratitude et de son émotion. Il souhaite dédier ce prix aux victimes civiles et à ceux de ses collègues tombés lors des combats. Gamal est en ce moment même à Téhéran où il couvre le sujet des enfants soldats… » « Malheureusement, Gamal Wadid ne peut pas être parmi nous ce soir, la fermeture inopinée de l'aéroport de Beyrouth l'a retenu au Liban. Mais il m'a chargé de vous faire part, à vous le jury ainsi qu'à l'ensemble des personnes qui ont voté, de sa profonde reconnaissance. Du fond du cœur, Gamal vous remercie de lui avoir attribué ce prix, qu'il souhaite décerner à l'ensemble de ses collègues présents sur le terrain avec lui… »

« Gamal ne peut être parmi nous ce soir mais il m'a chargé… »

« Gamal ne peut être parmi nous ce soir mais… »

« Gamal ne peut être parmi nous ce soir… »

« Gamal… »

« Gamal… »

« Gamal… »

Même le prix Pulitzer, il n'était pas venu le chercher ! Il m'avait prévenu la veille, me demandant indolemment à quel numéro faxer le discours que je devrais prononcer. Il ne semblait pas douter une seconde que je me rendrais disponible et laisserais mes propres affaires en plan pour sauter dans le premier avion pour New York, comme s'il était en droit de l'exiger. Lorsque vint le lendemain soir, je n'étais pas exactement dans la disposition d'esprit de le faire briller (parce que, bien sûr, comme un imbécile, j'avais accepté).

Je venais de recevoir un appel de Londres m'informant que les journalistes de la rédaction envisageaient de déposer une motion de défiance contre moi, faisant peser le spectre d'une démission collective. Je me retrouvais dans cette salle où je n'avais rien à faire, fracassé par le décalage horaire, à des milliers de lieues de l'endroit où je voulais être, coincé sur une scène où les projecteurs cherchaient dans mon visage un autre que moi. Je balayais d'un regard les spectateurs aux yeux brillants et à la gorge nouée d'émotion, différents mais toujours les mêmes, qui se préparaient à communiquer par procuration dans un état d'attente semi-amoureuse avec lui, l'autre, le seul, le vrai Gamal. Par moments, il me semblait que j'aurais pu dire absolument n'importe quoi, aucun d'eux n'aurait cillé. Rien ne pouvait se mettre en travers d'eux et de leurs attentes, leurs illusions. Alors ce soir-là, je n'eus pas envie de leur donner ce qu'ils étaient venus chercher. Je lus le discours rapidement avec l'intention de le bâcler, avant de finir par carrément le tronquer pour mettre un terme à cette mascarade et quitter la scène le plus vite possible. Le pire, c'était que pendant toutes ces années, Gamal croyait sincèrement que tout ce cirque m'amusait, mieux, me flattait, compte tenu de mon penchant naturel pour les « mondanités ». Malgré tous mes efforts, cela n'avait pas raté. Personne n'avait cillé, le discours avait été suivi d'applaudissements nourris. Je restais bloqué au cocktail de célébration dont j'abhorrais chaque seconde, où l'on me serrait chaleureusement la main pour atteindre, au travers de cette poignée, un autre que moi. Si d'aventure le statut social de l'audience était assez engageant ou la gent féminine assez belle, je me forçais à raconter à des yeux qui s'arrondissaient d'admiration les derniers exploits de Gamal. Parfois je me prenais au jeu, ajoutais des détails qui n'avaient pas existé et racontais des scènes que je n'avais pas vécues, récoltant par procuration la gloire sociale et le respect qui lui étaient destinés. Arrivait ensuite le moment le plus triste de la soirée, celui où je ramenais chez moi une femme élégante et enivrée que je déshabillais sans mal et qui m'offrait son corps parce que j'étais le meilleur ami de Gamal. Une conquête de plus, qui ne parvenait pas plus qu'une autre à remplir un monde, parce que, même mis à nu, elle ne me voyait pas.

20

Gamal

Je pris Rimah sous mon aile et chaque jour, à son insu, j'étais consumé par le dilemme. Le bon ange d'un côté, cette partie de moi qui voulait la renvoyer manu militari à ses rues parisiennes, et cette autre partie de moi qui avait intensément besoin de la garder à mes côtés. J'avais découvert qu'elle ne travaillait pas pour l'Agence France Presse. Elle était venue en tête brûlée, free-lance, et son inexpérience pouvait tous nous mettre en danger. Rimah, novice, femme, chrétienne, n'avait rien à faire à Téhéran en 1984 et j'avais tenté à maintes reprises de la dissuader. Je lui avais ordonné plusieurs fois de s'en aller. J'avais coupé tout contact avec elle. Je l'avais ignorée. Je lui avais proposé de la mettre en relation avec mon agence pour décrocher une mission officielle ailleurs, et apprendre le métier. Elle était restée et j'avais cessé d'insister. La fichue obstination, détermination, le fichu et désespérant entêtement de Rimah. Ensemble, nous avons arpenté les rues ravagées des villes iraniennes. Elle avait appris vite. L'élève n'avait pas déçu son maître. Et à la manière dont elle parvenait à amener les gens à s'ouvrir à elle, je me demandais qui de nous deux apprenait. Nous avons vécu ensemble pendant deux ans, sur la brèche, de barrage improvisé par des « combattants de la liberté » en campement de fortune où l'eau n'arrivait plus depuis des semaines, entre des bâtiments effondrés qui avaient transformé la vie en souvenir, épargnant parfois une photo, parfois un vase à peine ébréché, dans la canicule, le froid et les odeurs d'égout. Deux années rythmées par des nuits sans sommeil pendant lesquelles la peur nous tenait éveillés, à vivre comme des animaux, sans pouvoir laver nos cheveux et nos vêtements pendant des jours, parfois des semaines, sans vrais repas, partageant parfois une chambre à cinq, dans un état d'exténuation complet. Deux années à défier l'imprévisibilité de la guerre, de courses erratiques en voiture à la recherche d'un abri, des années de vies moins chanceuses que les nôtres qui s'arrêtaient en un instant : le corps d'une femme serrant encore son cabas contre elle, poireaux dedans, la tête trois mètres à côté ; les corps déchiquetés des enfants soldats gisant sur les champs de mines où l'armée iranienne les avait envoyés sauter pour ouvrir le passage à l'armée régulière, les corps des Kurdes que l'armée irakienne avait gazés. Deux ans à lutter pour trouver les mots justes au milieu de tout cela, pour garder nos articles en main, impuissants, quand une coupure de courant nous empêchait de les faxer. Nos vies risquées pour que le monde ait le droit de savoir, pour deux minutes de reportage qui résumaient dix-huit à vingt heures d'enquête, de tournage, d'interviews, de trajets, d'écriture, de corrections, de doutes. Alors, au fil des jours et des mois, portés par les circonstances extrêmes de la guerre, nous étions tombés passionnément amoureux. À la fin, nous anticipions nos gestes sans plus avoir besoin de parler. Nous n'avions pas parlé non plus la première fois où je l'avais prise contre moi, ni très souvent au cours de toutes ces nuits où nous faisions l'amour comme des animaux, pour survivre simplement, pour rattraper une partie de la vie qui s'était volatilisée au cours de la journée.

Rimah était ma force et mon point faible, la lumière qui me donnait de l'espoir en me réveillant le matin, la seule personne qui me procurait un havre de normalité dans un décor qui rendait fou à faire hurler. Rimah était aussi mon point faible : je m'inquiétais quand il me fallait la laisser derrière moi, je m'inquiétais quand je l'emmenais. Il n'y avait pas de téléphones portables à cette époque, pas de réseau internet, de SMS ou de messageries instantanées. Pas de Twitter, pas de Facebook. Lorsque je quittais Rimah, il était impossible de savoir si ou quand je la reverrais. Je ne pouvais plus supporter de la savoir en danger, je ne pouvais pas supporter l'idée d'envisager une vie sans elle. J'étais déchiré entre ce qui avait constitué ma raison de vivre, mon métier, et le désir de m'établir quelque part avec Rimah et d'y faire ma vie avec elle. Un jour, j'avais fini par me décider. Il m'avait fallu pour cela rencontrer *Little King*.

21

Howard

Le tintement des verres avait cessé, les voix s'étaient tues, les bruits dissipés. L'odeur aigre et entêtante de mon café froid m'avait lentement tiré de ma torpeur et je découvrais que j'étais resté seul à table. Il était minuit passé. Devant moi, une coupelle en argent contenant l'addition pliée en deux, au fond de la salle, le maître d'hôtel qui ne l'avait pas réclamée. Il versait une liqueur vermeille dans un verre en cristal, qu'il m'apporterait incessamment pour me rappeler qu'il était temps de m'en aller. Il était temps pour tant d'autres choses encore.

La morale, une décence élémentaire vis-à-vis de Clara, de Giuliana et de Gamal, aurait commandé que j'aille enfin lui remettre le journal de Clara, celui que j'avais volé dans sa boîte aux lettres en relevant le courrier comme je le faisais avant notre revue de presse. « Journal pour toi qui voudras bien le lire », il n'était pas difficile de savoir de qui Clara parlait. Lorsque j'avais vu que le cachet de la poste venait de Positano, j'avais immédiatement interrompu ma progression vers la bibliothèque et redescendu prestement l'escalier pour me cacher dans la salle à manger. Pris d'une curiosité incontrôlable, j'avais décidé d'entrouvrir le paquet pour avoir un aperçu de ce qu'il contenait. Mais malgré mes efforts, j'avais dû déchirer le carton pour y arriver. Le mal était fait. Dès lors, autant l'embrasser. La boîte contenait un carnet de notes en moleskine noir dans lequel était glissée une lettre manuscrite en mauvais anglais : « Dear Gamal, I am Clara's cousin, my name is Giuliana. She asked me to send you this that she wrote after she dead. She is dead, she dead three weeks ago. Sincerely, Giuliana Cara-Braccha. »

La peur, l'envie, la jalousie, et ce matin-là la curiosité… ce jonglage éternel entre l'appétit de savoir et la sagesse d'ignorer, entre ne pas poser les questions dont on ne veut pas avoir la réponse et ne poser que celles dont la réponse va nous aider, tracer la ligne entre ce qui nous détruira et ce qui va nous protéger, apprivoiser ce sentiment puissant et naturel dans son propre intérêt. Je n'aurais jamais dû le rapporter chez moi, je n'aurais jamais dû lire ce carnet. Il avait empoisonné ma vie, entre tout ce qu'il disait et tout ce qu'il ne disait pas, me laissant avec une foule de questions pour une femme que je ne pouvais plus interroger. Même si je donnais ce carnet à Gamal, comment m'abstraire de ce que j'avais lu ?

J'avais refusé le cognac, appelé un taxi, payé l'addition et j'étais rentré chez moi. Dans le ciel, une lune blanche, petite, semblait me juger. En dépit de l'heure tardive, il m'était impossible de trouver le sommeil. Je sortis le carnet du guéridon en marqueterie claire dans lequel je l'avais caché. La couverture en cuir avait à peine vieilli, l'encre était à peine effacée. Hypnotisé par les flammes jaune et bleu qui crépitaient dans la cheminée, je ne l'ouvrais pas. Je pouvais le lire sans l'ouvrir, je pouvais le lire en fermant les yeux, je pouvais le lire en regardant les flammes. Je pourrais le lire même après l'avoir rendu à Gamal, j'en connaissais chaque intonation, chaque virgule, chaque souffle, chaque hésitation. J'avais aimé Clara qui avait aimé Gamal ; Clara qui avait compris qu'elle s'était trompée, disparaissant sans me l'avouer.

« Malgré les signaux d'alerte, je ne voulais toujours pas admettre que je m'étais trompée. » J'aurais dû me déclarer.

« Au lieu de m'en aller et de cesser de me comporter en spectatrice impuissante de mon existence. » J'aurais dû l'emmener.

« Je n'ai pu m'empêcher de me demander tout au long du repas ce qu'auraient été nos vies si nous nous étions laissés aller à un instant de faiblesse lui et moi. En l'embrassant, j'embrassais celui que j'aurais depuis longtemps dû embrasser, je regardais celui que j'aurais dû depuis longtemps regarder, je regardais celui qui, des enfants, lui m'en aurait donné. » Je t'en aurais donné dix, vingt, cent, si seulement tu me l'avais demandé.

Je caressais le carnet que je tenais sous ma main. La danse des flammes se faisait invitante, suggestive, comme réclamant une offrande. Tout était fini. Que je le détruise ou non, quelle différence cela ferait-il ? J'étais libéré de mon mensonge. Le couteau était planté. Après des années de nage forcée à contre-courant, j'avais tué le père avant qu'il ne me tue. Comme si j'avais eu le choix ! D'ailleurs, dans la vie, choisit-on vraiment par hasard ? Tombe-t-on amoureux de la femme de son meilleur ami par hasard ? Mon vieux débat irrésolu, la question même que j'avais longtemps refusé de me poser, ma chère, ma loyale ennemie, qui revenait à la charge me chercher devant ma cheminée. Mon seul interlocuteur, la seule personne à laquelle je m'en étais ouvert, un psychologue que j'avais consulté pendant quelques mois sous le sceau de la confidentialité, semblait quant à lui avoir trouvé une réponse. J'étais alors déchiré entre mon amour paralysant pour Clara et ma loyauté envers Gamal. Les séances se succédaient semaine après semaine et, malgré ma sensation de nourrir sans relâche la machine à confidences, j'étais frustré par mon absence notable de progrès. À ma demande, le pressant pour une opinion, il avait un jour fini par déclarer : « C'est à mes yeux un cas classique de conflit œdipien. Vous êtes tombé amoureux de la femme pour combattre le mari, et à travers lui, la figure paternelle qui vous a délaissé. Vous êtes sans cesse en rivalité avec Gamal. C'est à ses yeux que vous voulez exister afin d'acquérir une valeur aux vôtres. En d'autres termes, vous n'êtes pas jaloux de Gamal parce que vous aimez Clara, vous aimez Clara parce que vous êtes jaloux de Gamal. Ce qu'il faut, c'est que nous comprenions pourquoi. Que nous creusions votre enfance et vos rapports avec votre père, et leur rôle dans la construction de votre estime de soi. Votre fil d'Ariane. Ce qui a guidé vos choix. Trouver en Gamal ce qui vous a rappelé votre père. » Si j'avais pu lui sauter à la gorge, je crois que je l'aurais fait. À la place, j'ai cessé de le consulter. J'étais un homme civil, je n'étais pas allé à Harrow pour rien.

22

Gamal

Mon indécision prit fin le jour où nous survécûmes à notre rencontre avec « Youssif l'Éclairé », ainsi qu'il se faisait appeler. *Little King*, comme je le surnommais, c'était l'une des deux photos que Clara avait achetées.

Ayant obtenu une interview de lui avec un confrère français, nous nous trouvions un beau matin dans une pièce à peine éclairée entourés d'une poignée de têtes brûlées au milieu desquelles s'affairait Youssif. Agile et fin, une barbe drue et noire crânement taillée, ses yeux perçants scrutaient un mécanisme qu'il prenait un soin infini à calibrer. Mal à l'aise, nous avions pris le parti d'attendre à défaut d'alternative. Ses hommes avaient confisqué tout ce que nous avions sur nous à l'exception de nos appareils photo, eux aussi copieusement examinés. Consigné chacun dans un coin de la pièce, nous nous jetions de temps en temps un coup d'œil silencieux, à la recherche d'un signe à interpréter. Jean avait tenté une question, restée sans réponse, et trois heures étaient passées.

Puis soudain, visiblement satisfait des circuits de l'engin posé sur la table et de l'effet qu'il avait immanquablement produit sur nous, Youssif poussa deux chaises rouillées et nous invita à nous asseoir. Très calme, sans nous rendre nos dictaphones ni nos carnets, il commença à nous détailler doctement des dizaines d'hypothèses à tiroirs, véritables bijoux de tactique militaire, faisant preuve d'une intelligence aussi époustouflante qu'insoupçonnée et dont l'effervescence me terrifiait. Il articulait son cours, dont les subtilités nous échappaient totalement, pour le plaisir de s'entendre parler. Il était stupéfiant de constater à quel point un homme pouvait à la fois faire preuve dans ses motivations d'une idiotie abyssale et mettre en même temps un génie certain, pire, de l'élégance dans l'exécution des stratégies que son esprit malade avait élaborées. Qu'il puisse utiliser ces mêmes ressources, d'où qu'elles viennent, pour œuvrer à une solution déviant de son obsession destructrice primaire était inimaginable. Remettre en cause ses convictions était pour lui et ses hommes une pensée aussi incongrue que dangereuse. Youssif était baigné de certitudes et, quand on est convaincu, on ne réfléchit pas. Alors que nous nous resserrions sur nos chaises, loin d'être certains de sortir jamais des murs lézardés de cette pièce, nous assistâmes, éberlués, à une danse de joie exécutée par un Youssif ravi de ses plans, retroussant ses manches en chantant à tue-tête sur un vieil air de radio américain, léger comme un gamin, sur les notes de *Stormy Weather*. Il y avait quelque chose de profondément incohérent dans son attitude, que l'on qualifierait sans doute aujourd'hui de bipolaire. Je me méfiais de lui comme de la peste. J'étais désormais convaincu qu'il avait l'intention de nous tuer et que nous nous étions jetés dans la gueule du loup comme des enfants. Un de ses compagnons d'armes fit irruption dans la pièce, « Ils arrivent, ils arrivent ! Ils sont au moins cinquante ! Quelqu'un nous a dénoncés ! » Youssif saisit sa mitraillette, « Les chiens ! » et fonça à l'extérieur du bâtiment avec la détermination d'une bête féroce, sommant ses hommes de le suivre, jouissant par avance de l'ivresse de la bataille à livrer, mû par sa fureur et sa fièvre tueuse, sa toute-puissance et son invincibilité, Youssif tirait partout et sans but comme une marionnette désarticulée. Il n'y avait plus de stratégie, plus de tactique, plus de marche à suivre. Juste la vertigineuse folie d'un homme qui, je l'avais compris maintenant, se droguait. Youssif ne s'était pas démonté en voyant la cinquantaine d'hommes s'avancer. Pourtant, combien de cartouches pouvait-il lui rester ? Il riait comme s'il s'y attendait, comme si cela faisait partie de son plan, d'une sous-catégorie dont il ne nous aurait pas parlé. Jean et moi avions cessé de le suivre en courant. Nous reculions à mesure que les soldats irakiens approchaient, sans pourtant nous résoudre à nous en aller comme toute personne saine d'esprit l'aurait fait. Parce que nous étions fascinés par la scène qui se déroulait, inexorablement aimantés par ce que nous pressentions être une histoire unique, par Youssif l'Éclairé qui remplissait sa propre tombe de ses éclats de rire déments, renvoyés en écho par les poitrines des soldats en cercle autour de lui, l'enfermant dans sa mort à venir au son de sa propre voix. Les déclics de mon appareil photo étaient couverts par ses cris de fou, mes pieds glissaient sur les gravats d'un talus quelques mètres plus loin, poussé par Jean qui avait repris ses esprits et tirait désespérément sur ma veste pour que nous fuyions, me forçant à disparaître derrière un monticule rocheux. Il pleuvait. Après un bref silence, Youssif repartit d'une octave, tournant sur lui-même tel un derviche tourneur, regardant ses bourreaux sans les voir, l'œil plus halluciné que jamais, finissant sa rosace en esquissant un grand salut, tendant dramatiquement son bras au bout duquel vacillait le goupillon de la grenade qu'il venait de désamorcer. Clic. Je nommai cette photo *Little King*. De retour à l'hôtel, Jean avait tout raconté à Rimah. Furieuse, elle avait dénoué ses longs cheveux bruns bouclés et, plantant ses yeux bronze dans les miens, elle avait déclaré « Maintenant on rentre », avant de me gifler.

23

Howard

Œdipe, et puis quoi encore ? Pourquoi personne ne voulait-il voir que j'avais eu raison de m'opposer à Gamal ? Et si c'était moi qui étais dans le vrai ? Et s'il n'y avait jamais eu de rivalité ? Il se sentait à sa place en esquivant les mines et les balles et moi je me sentais à la mienne en tentant d'influencer les décisions des politiciens. Il était en aval, j'étais en amont. Nous aurions pu être complémentaires. Et pendant longtemps, nous l'avions été. Mais, les années passant, Gamal était devenu intransigeant et amer, particulièrement depuis Rimah. Il m'avait reproché ce qu'il appelait mon manque d'engagement, ma complaisance. Lorsque je parlais au téléphone avec lui, les tirs de mortier couvrant parfois sa voix derrière le combiné, une partie de moi aurait voulu être avec lui, sur le terrain comme sur le plan des idées, une partie de moi se mettait à sa place et visualisait l'éditorial dans lequel je n'avais pas protesté, mais une autre partie de moi, bien plus significative, trouvait son approche aussi vaine que biaisée. Nous avions une vision diamétralement opposée de notre métier. Et, comme nous y consacrions tous les deux nos journées, sept jours sur sept et vingt-quatre heures sur vingt-quatre, une vision diamétralement opposée de la vie. « La plupart des gens s'adonnent au mirage d'une double croyance : ils croient à la pérennité de la mémoire (des hommes, des choses, des actes, des nations) et à la possibilité de réparer (des actes, des erreurs, des péchés, des torts). L'une est aussi fausse que l'autre. La vérité se situe juste à l'opposé : tout sera oublié et rien ne sera réparé. Le rôle de la réparation (et par la vengeance et par le pardon) sera tenu par l'oubli. Personne ne réparera les torts commis, mais tous les torts seront oubliés[1]. » Je ne croyais pas qu'un reportage changerait le monde. Je ne croyais pas que faire prendre conscience aux gens de l'inanité d'une décision politique, surtout si les morts qu'elle faisait se trouvaient à l'autre bout du monde, changerait quoi que ce soit. Je pensais, comme Kundera, que l'écrasante majorité de l'auditoire que visait Gamal allait tout oublier.

---

1. Milan Kundera, *Le Livre du rire et de l'oubli.*

Que les torts, les morts, les guerres seraient oubliés et que rien ne serait réparé. Au contraire, que tout recommencerait à l'identique. Car « l'histoire tourne en rond, l'histoire tourne en rond[1] », elle l'avait toujours fait. Qui aujourd'hui se souvenait de la crise du canal de Suez qui avait broyé Gamal et l'avait poussé sa vie entière à fuir ses propres fantômes en allant chasser ceux des autres ? Qu'est-ce que les reportages pouvaient changer ? Des millions de manifestants n'avaient jamais empêché Tony Blair ou George Bush d'aller envahir l'Irak au nom d'armes de destruction massive qui n'avaient jamais existé. Qui en veut encore à Tony Blair aujourd'hui, lui impute la naissance de Daech ou lui reproche les centaines de millions de sterlings qu'il a engrangés au Moyen-Orient depuis ? Qui, dans dix, vingt ou trente ans s'indignera, se rappellera, condamnera ce énième tour de passe-passe ?

Gamal pensait le contraire. Gamal était convaincu qu'un reportage pouvait changer le monde. Il croyait passionnément qu'un reportage pouvait changer la vie des gens dont il faisait le portrait.

– Il n'y a pas que l'opinion publique, Howard. Il

1. Gabriel Garcia-Marquez, *Cent ans de solitude.*

y a tous ces gens, ces enfants, qui sont sur mes photos.

– Tu ne peux rien faire pour eux, Gamal.

– Que sais-tu de ce que je peux faire pour eux ? Tu n'as jamais vu un réfugié de ta vie.

– Tu ne vas pas les sauver, Gamal.

– Alors, qui le fera si tout le monde baisse les bras ?

– Personne ne le fera.

– Nous, nous le faisons tous les jours. Nos reportages informent, indignent, ils poussent les consciences à se révolter, à s'engager, à voter, ils déclenchent des vagues de solidarité internationale et les dons aux organisations humanitaires qui interviennent sur le terrain. Tous les jours, il y a quelque chose qui est sauvé du chaos. Mais l'on pourrait faire beaucoup plus. Tu pourrais faire beaucoup plus ! Qu'est-il arrivé au jeune homme que j'ai rencontré au *Times* ? Tu avais envoyé paître ton père, refusé de prendre ta carte chez les *tories*, tu étais devenu journaliste pour changer ta vie et tu n'as rien changé. Tu es entré en politique, Howard !

– Parce que tu crois que toi tu n'y es pas entré ? Monsieur je témoignerai de tout ce qui n'a pas été dit, Monsieur je défendrai les faces B de l'histoire. Comment sais-tu si ce que tu écris est vrai ? Comment sais-tu que tu n'es pas instrumentalisé par le belligérant qui sait le mieux représenter ses idées ? Pire, celui qui joue le mieux le rôle de la victime. Tu es aussi proche des militaires que moi des politiciens. Mais cela ferait de toi un reporter et de moi un vendu ? Dans tes conditions de travail, sous la pression des deadlines quotidiennes, comment es-tu sûr de trouver le recul nécessaire ? Tu te souviens quand tu avais dénoncé le charnier de Timişoara ? Échec, bidon, débâcle de ton idéal !

– Tu choisis tes faits avec soin, n'est-ce pas ? Tu te raccroches commodément au reportage où nous nous sommes tous trompés, mais ne mentionnes surtout pas tous les autres qui ont poussé l'ONU et les gouvernements à agir, les gens à descendre dans la rue et à donner aux œuvres de charité. Tu as fait quoi, toi, à part courir à Downing Street dès que le Premier ministre sifflait ? Tu es de tous les cocktails, sommets politiques et forums de Davos. Tu as vécu exactement la vie que ton père voulait pour toi et tu ne le vois même pas. Moi, je ne peux rien faire pour eux ? Sais-tu au moins quelle question les gens sur mes photos me posent ? Quelle question, quels que soient le pays, la religion, la culture ou les circonstances, ces gens me posent lorsque nous arrivons pour photographier leur vie que l'on vient de balayer ? Qu'est-ce qu'ils me demandent, Howard ? De l'argent ? De la nourriture ? De l'eau ? Des cigarettes ? Qui avait le droit de voter ? Non. Ils me demandent tous : « Allez-vous le dire au monde ? Allez-vous montrer au monde ce que l'on nous a fait ? »

– Alors c'est ça ? Tu risques ta vie pour qu'ils se sentent mieux ? Pour dire au monde quelque chose que le monde n'entendra pas ? Mais tu leur mens, Gamal ! Tu sais très bien que le monde s'indignera le jour de la diffusion du reportage et se fichera d'eux le jour d'après. Reviens sur terre, Gamal. Ou reste où tu es mais arrête de me reprocher de ne pas sauver le monde que tu échoues toi-même à sauver. Qu'est-ce que tu crois ? Que les accords de paix se font grâce à l'indignation soulevée par des reportages qui auraient fait monter la pression pour forcer les gouvernements à intervenir ? Non ! Il n'y a d'accord de paix que lorsque les parties comprennent qu'elles ne peuvent pas gagner la guerre, qu'aucune autre bataille, pas plus que les batailles précédentes, ne le permettra. Fréquenter Downing Street ne m'empêche pas de faire mon métier. Je respecte la vérité, j'informe le public. Je ne fais pas de propagande ni de publicité. Et surtout, moi, je ne mens pas à ces gens.

Cette divergence de vues fondamentale nous avait éloignés, Gamal et moi, plus sûrement que Clara, la distance ou les années.

24

Gamal

Le lendemain de ma rencontre avec Youssif, Rimah et moi nous étions mis d'accord pour quitter l'Iran. Nous devions rejoindre un groupe de journalistes qui se trouvaient à l'autre bout de la ville où un nouveau campement plus sûr avait été établi. J'avais demandé à Rimah de m'attendre devant l'hôtel, elle avait oublié son sac, j'étais retourné le chercher.

J'avais à peine fait quelques pas dans l'immeuble qu'une explosion puissante retentit. Comme je l'appris après, il s'agissait de 150 kg de TNT déposés dans un camion garé près de la place centrale de Téhéran, qu'aucune organisation ne revendiquerait jamais. Je sentis une douleur fulgurante dans ma jambe et le temps s'arrêter. Mon cœur aussi, dont je n'entendais plus les battements. Les tympans crevés, un silence retentissant s'était installé. Il m'avait fallu quelques minutes pour reprendre mes esprits et peu à peu entendre à nouveau, faiblement : les cris des sirènes, de la population, des chiens qui hurlaient à la mort, quelques minutes pour sentir mon cœur qui battait à nouveau, à tout rompre cette fois, et prendre conscience, une conscience désespérément aiguë, que mon destin était désormais scellé, hors de mon contrôle, hors de ma portée, figé au-delà de la scène qui allait se jouer, dans celle qui venait de s'achever et dont j'allais découvrir, impuissant, le résultat. Je finis par me redresser sur mes jambes, claudiquai vers la porte tambour de l'hôtel et tentai de trouver Rimah dans les gravats qui m'entouraient. Je hurlais son nom comme un fou mais les cris des autres couvraient ma voix. Peut-être ne m'entendait-elle pas ? Et puis, le cauchemar. Une main inerte portant sa bague apparut sous les décombres, couverte de sang et de poussière, des éclats de verre incrustés partout, le sang coulant entre les pierres. Je me jetai sur les débris, déblayant les gravats pour découvrir le corps de Rimah à la gorge blessée. Je tentai de prendre son pouls en tremblant, je n'y arrivais pas ; dans ma panique je ne sentais rien. Désespéré, je collai la montre qu'elle m'avait offerte la veille contre son visage et par bonheur le cadran s'embua : Rimah était vivante. J'interceptai une ambulance au son inaudible, noyé dans le brouhaha de la destruction, cahotant sur les routes détruites, brinquebalant sans ambages les corps meurtris des blessés. Les éclats de pierre et l'impact des balles heurtaient le pare-brise et la carrosserie, l'ambulance était la cible d'une rage aveugle (ne surtout pas laisser de vivants), voyage sans fin vers un hôpital surchargé qui n'avait sans doute déjà plus de lits pour elle. Au milieu des autres blessés, Rimah n'était plus qu'un agrégat de douleur et de blessures qui glissait lentement dans l'agonie. Je ne voulais pas le voir, le sentir ni le comprendre, j'étais déterminé à traverser cette ville coûte que coûte, à donner ma vie pour la déposer à l'hôpital, pour la faire soigner, pour que notre vie redevienne ce qu'elle avait été, pour que je puisse tenir ma promesse. Mais les visages sombres des ambulanciers laissaient transparaître trop peu d'espoir. Je serrais la main de Rimah trop fort, je lui caressais les cheveux frénétiquement, l'embrassant, lui répétant qu'elle allait s'en sortir, qu'elle devait me regarder, tandis que le sang continuait à se répandre sur les draps qui l'entouraient. Je ne sais pas ce que je croyais. Elle avait eu une partie de la jambe arrachée, plusieurs éclats à la poitrine, ses yeux étaient déjà vides. Elle parvint au prix d'un immense effort à guider sa main tremblante vers la mienne, puis, semblait-il, vers la poche extérieure de son sac.

Comme je lui en tendais le contenu, elle investit ses dernières forces pour saisir en tremblant un bâton de rouge qu'elle tenta d'appliquer sur ses lèvres, sans y parvenir. Elle eut un faible sourire, puis lâcha le tube de rouge à lèvres qui vint osciller entre les bosses du plancher déformé par les impacts. Poussé par une pulsion irrépressible, je pris en photo ce rouge à lèvres oscillant, la photo du dernier combat de Rimah. C'est ce rouge à lèvres oscillant avec en contre-plongée la main ensanglantée de Rimah qui devint l'une de mes plus célèbres photos de guerre, *Lipstick*, sans que jamais personne ne sache ce qu'elle représentait pour moi.

L'ambulance continuait son chemin, les larmes qui coulaient sur la poussière de mon visage formaient des sillons de terre figés se reflétant dans les vitres au travers desquelles défilait le sinistre paysage. Au bout d'un trajet interminable, nous finîmes par arriver à l'hôpital. Rimah avait perdu beaucoup de sang. Je ne savais dire si elle était toujours consciente, si quelque partie d'elle-même luttait toujours ; je ne savais dire où elle en était. Je la serrai délicatement dans mes bras, puis remis ma montre près de son visage, en sachant que cette fois le cadran ne s'embuerait pas. Les ambulanciers déposèrent sa civière dans le couloir de l'hôpital avant de repartir toutes sirènes hurlantes vers d'autres blessés. Je restai là, hagard, son sac à la main, à regarder les gyrophares et entendre les sirènes hurler. C'est d'ailleurs ce que ma vie allait devenir par la suite, un long cri d'ambulance qui mettrait des années à ne plus me réveiller.

Au bout de quelques heures, perclus de douleur, je rentrai au campement. Mes confrères ouvrirent une bouteille d'un alcool si fort qu'il m'anesthésia. Avant de m'écrouler sur ma couche, vaincu par la douleur et les larmes, je retirai ma montre pour en poser le cadran sur mon visage et sentir le dernier souffle de Rimah contre moi. J'aperçus alors l'inscription qu'elle y avait fait graver : « Tu es toujours mon amour. Parfois, tu n'es que mon amour. Rimah. »

Cette phrase s'était instantanément gravée au fond de mon âme et sa prophétie vécut, même si c'était elle qui avait toujours été mon amour.

25

Howard

Plein soleil à Hyde Park. Six mois avaient passé. Les eaux calmes de la Serpentine se prêtaient aux jeux des enfants. Drogués à l'été, ils se jetaient dans la rivière, cornet de glace à la main, poussant des cris joyeux et enthousiastes qui égayaient la journée. L'herbe était jaune, complètement grillée. Les jeunes femmes qui dépliaient leurs jambes sur les chaises longues étaient absorbées par la lecture de leurs magazines et de nombreux oisifs de passage, comme moi, les regardaient. Un orage éclata. Les enfants sortirent de l'eau sous les cris impérieux de leurs parents. Les lecteurs remballèrent leurs livres aux pages mouillées, les musiciens leurs instruments, les jeunes femmes leurs jambes sous des parasols balayés par le vent. À l'abri dans le café où j'attendais mon Earl Grey, je regardais la pluie tomber. Je voyais les gouttes parsemer la vitre, s'écraser les unes après les autres sur la surface transparente, poussées par le vent. Il y avait d'abord le premier impact : la goutte s'écrasait, se divisait puis glissait. Une autre goutte arrivait ensuite, s'écrasait, se divisait puis glissait. Puis une autre goutte… les éclats de pluie venaient en cadence alourdir les gouttes qui avaient déjà épousé la vitre, grossissant la masse des infortunées avant de les entraîner dans leur chute inexorablement. Je regardais l'une d'elles en particulier, qu'il était fascinant de voir résister. D'abord seule, évitant les impacts des autres, nette, distincte, claire, une perle d'eau de toute beauté. À côté d'elle, les autres gouttes éclataient, se divisaient, se séparaient en sillons qui venaient s'accidenter et s'appesantir les uns sur les autres, avant de s'entraîner dans leur perte commune. Ma goutte résistait, malgré l'assaut du poids qui venait immanquablement s'ajouter au sien, une fois, deux fois, trois fois, quatre fois… Je me surprenais à espérer qu'elle vaincrait, qu'elle ne tomberait pas et ne finirait pas sa course dans la masse anonyme de la flaque, qu'elle ne se laisserait pas emporter par ses tristes comparses et qu'elle finirait sa vie en beauté, séchée intacte sur la fenêtre. Mais ma goutte finit par tomber parmi les autres, victime des lois du hasard et de la gravité. Je me sentais inexplicablement attristé par cette bataille perdue, cette fatalité sans esthétique. C'était le signal d'envoi. Dans ma poche, le carnet. Il fallait que j'aille le donner à Gamal.

De Hyde Park à St Leonard's Terrace, il n'y avait qu'une demi-heure de marche. La pluie venait de cesser et je décidai de profiter de l'opportunité avant que le déluge ne reprenne. Cette promenade me donnerait le temps de préparer ce que je dirais à Gamal s'il était là : la carte postale, la maladie de Clara, l'existence de Giuliana et du journal.

De l'extérieur, dans la maison, tout semblait calme et habituel. Le lierre grimpait sur les murs, les rideaux étaient ouverts, les lumières éteintes. Il n'y avait pas si longtemps, Gamal aurait ouvert la porte en souriant ou j'aurais utilisé ma clef, fait mon chemin jusqu'à la cuisine ou la bibliothèque, il m'aurait demandé comment j'allais et nous aurions refait le monde.

Je pris une grande inspiration et me dirigeais vers la porte d'entrée lorsque j'aperçus un logo naïf dépasser de la boîte à lettres. Tirant délicatement sur le feuillet, je vis apparaître une confirmation de voyage que Gamal avait laissée pour moi. Il s'agissait d'un aller-retour Londres-Naples, assorti d'une réservation d'hôtel à Positano.

26

Gamal

Les modestes maisons blanches, pêche et terre du cimetière de Positano surmontées de leurs petites croix semblaient abriter la paix elle-même. Cyprès, pins, bougainvilliers ; émeraude, vert clair, violet et la mer immense. À flanc de falaise.

Je n'avais jamais revu Clara. Elle était morte là, après m'avoir quitté. Quand je l'avais rencontrée, je tentais toujours de surmonter le deuil de Rimah. Je meublais ma solitude avec plus ou moins de zèle et de conviction. J'appliquais la loi des cumuls : conférences, articles, cours de journalisme à l'université, reportages humanitaires, voyages, sorties avec Howard, piano, heures de squash, parties d'échecs, femmes, beaucoup d'échecs, beaucoup de femmes, et puis Clara. Plus je superposais de couches au-dessus de mon chagrin, plus cela me donnait d'assise pour voguer à sa surface sans risquer de couler. Je m'étais laissé envelopper par la douceur et apprivoiser par la bonté de Clara. Je m'étais habitué à elle. J'aimais sa présence, j'appréciais sa compagnie. Sans le savoir, elle me repêchait quand mon cœur se délitait au souvenir du corps mutilé de Rimah. J'étais, comme je le serais toujours, prisonnier du souvenir d'une autre, d'une femme que je n'avais pas connue vieille même si j'avais vieilli avec elle, une femme qui n'avait traversé qu'une poignée de toutes mes années, un météore qui parfois avait pu me sembler imaginaire, mais dont la trajectoire avait été le point culminant qui avait porté en équilibre le reste de mon existence. J'avais vécu comme l'un de ces soldats dont j'avais si souvent croisé le chemin, qui avaient réussi à survivre avec, logées au fond du corps, les balles de la dernière guerre, un soldat qui croyait qu'il pourrait survivre sans guérir, pourvu qu'il ne soit pas à nouveau blessé. Un soldat qui s'était trompé.

Alors que je gravissais les marches étroites en pierre qui menaient en haut de la colline, je fus saisi par la beauté du spectacle. Une émotion intense me frappa à la poitrine et me força à m'arrêter. Je tenais au creux de la main le tube de rouge à lèvres que j'allais déposer près de la tombe de Clara avec la carte postale qu'elle m'avait laissée. Entouré par la mer, je me rapprochais des deux femmes que j'avais aimées, des deux femmes que je n'avais pas su protéger, faillant à empêcher l'une de mourir, l'autre de s'en aller. Deux femmes que j'allais maintenant réunir, dans le souvenir de celle que je ne pouvais plus éviter et dont je venais enfin parler à Clara. Rimah, son visage, son allure, ses angles, ses épaules, sa beauté. Effeuiller ses apprêts, caresser ses contours, souffler sur sa peau lisse, glisser une plume sur ses paupières, un souffle dans son cou, dénouer ses cheveux, lisser ses sourcils, baiser sa pommette, sentir son souffle frais, effleurer sa bouche rouge, glisser mon visage sous l'ovale parfait, trouver dans sa nuque ma maison, l'épaule caresser, descendre sur le muscle, glisser mes doigts sur l'intérieur tendre du bras, de l'avant-bras, éprouver la finesse du poignet, la minceur de ses doigts, voir les os de ses hanches et ma bouche maintenant si près de ses reins, la douceur de son ventre, m'arrêter en contemplation, reprendre, éprouver la courbe de ses seins fermes et doux, pleins comme la jeunesse, le triangle de ses épaules et la courbe de l'autre bras, la douceur essentielle de sa peau, les jambes parfaitement ciselées, lianes harmonieuses, toniques, fines, fuselées, brunes, brunes, brunes, des merveilles de l'Antiquité, un corps sans faute, une statue du Bernin dont miraculeusement la poitrine se soulevait, tout juste perceptible, à un rythme lent et régulier, ma main qui sur elle reposait, dont la puissance contrastait avec son émouvante et fragile féminité. Elle respirait, mon amour était à mes côtés, le miracle de la vie s'était accompli.

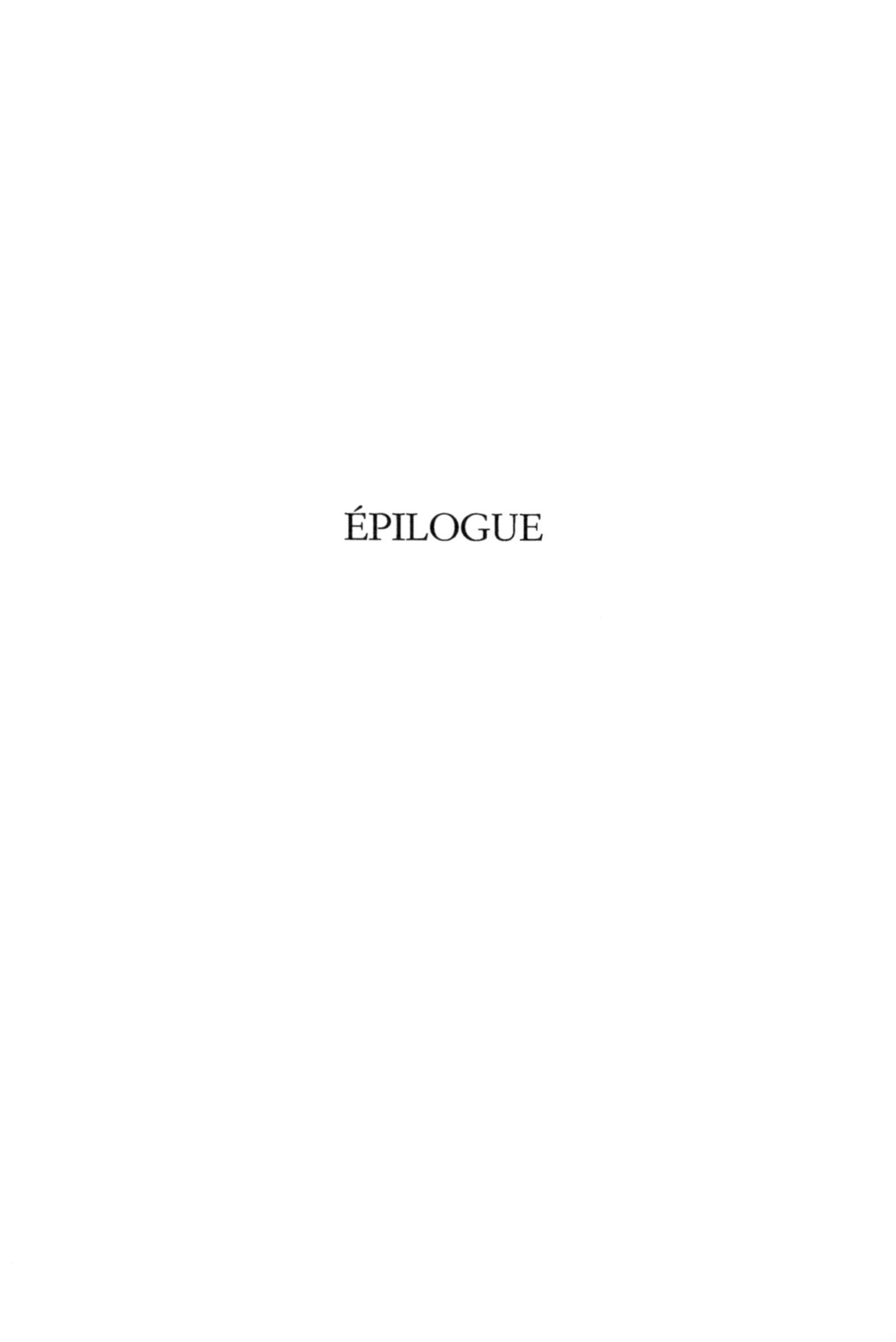

ÉPILOGUE

Lettre de Clara à Gamal, non envoyée

Cher Gamal,

Je suis à Positano et je vais bien. Je suis heureuse, je retourne sur les pas de mon enfance. Elle me semble à la fois si loin et si proche maintenant. C'est criminel comme le temps passe, on ne devrait pas permettre ces choses-là. La maison a beaucoup changé depuis que je l'ai quittée, ses murs se craquellent, les balcons se fissurent et le jardin n'a plus rien de la closerie bucolique qui accueillait nos jeux d'été. Nous sommes un peu pareils maintenant elle et moi. Il faut dire que nous l'avons tous abandonnée. Seule Giuliana a continué de l'entretenir comme elle a pu. Pour qui, pourquoi ? Je ne sais pas… pour elle sans doute, et notre mémoire à tous qui dort encore en ces lieux. Tu n'as jamais rencontré Giuliana, c'est dommage… un jour peut-être, qui sait.

J'aimerais parfois que tu sois à mes côtés. Lorsqu'une anecdote remonte les chemins de ma mémoire, j'ai le réflexe immédiat de te la raconter, de te faire découvrir les choses et les lieux dont je t'ai parlé, les grands lions de bronze qui regardent la plage, les galets brûlants sur lesquels on ne peut marcher, l'eau si bleue qu'elle apaiserait le plus tourmenté des damnés. Et alors que j'imagine les mots que je te dirais, heureuse de t'inscrire complètement dans mon histoire, alors que je suis sur le point de décrocher mon téléphone pour que tu me rejoignes, je préfère savourer encore un instant ces moments que j'ai pour moi. J'ai un besoin terrible de ces moments à moi, j'en ai tellement besoin qu'il ne reste plus assez de place pour toi lorsque vient la fin de la journée. C'est arrivé sans que je l'aie prémédité.

C'était au matin d'une belle journée, un matin de rien, un matin comme les autres, quelques jours avant notre dernière promenade au parc. Je brossais mes cheveux devant le miroir qui me renvoyait une image que j'aimais. J'ai entendu les notes du piano du rez-de-chaussée s'élever à l'étage. L'exécution était parfaite, technique, les notes s'enchaînaient, respectant à la lettre le moindre silence, le moindre soupir, la plus petite exigence de la partition. Pianistiques, exactes. Elles n'avaient aucune profondeur et passaient directement de tes doigts aux touches du clavier, par un courant froid. Des doigts inhabités, c'était tout ce que tu m'offrais. Puis tu as commencé à jouer la marche triomphale de l'*Aïda* de Verdi et tout a changé : tu étais comme transporté, ton interprétation était enflammée, c'était celle d'un amoureux au faîte de la passion qui jouait pour sa bien-aimée, tu y mettais tant de fougue que je me suis sentie transportée avec toi en Égypte, dans les rues du Caire où tu ne m'as jamais emmenée. Ma vie m'apparut tout à coup terriblement dissonante depuis des années, terriblement à côté de tout ce qu'elle aurait dû être. J'ai ressenti le besoin irrépressible de ne plus être là, physiquement, dans la pièce où j'étais, dans la maison que tu habitais. De ne plus vivre aux côtés d'un homme qui me cantonnait à l'organisation de son quotidien : réserver les places d'Opéra, faire la liste des courses pour l'employée, mais qui ne remarquait pas que la couleur de mes cheveux avait changé.

Je n'ai fait qu'une valise et j'ai simplement attendu ton départ afin de prendre le mien.

Clara

Remerciements

Un immense merci à mes amis et relecteurs qui ont soutenu depuis le début ce projet et ont subi sans protester (ou alors sans me le dire !) les centaines de versions de mon manuscrit : mes parents, Jacqueline et Antoine Yazbeck et ma dream team « Imparfaits », Nathalie Mercier et Astrid Lecomte du Nouÿ auxquelles le manuscrit doit beaucoup. Merci d'avoir pris le temps de m'encourager quand j'allais abandonner, secouée quand je procrastinais (moi ?) ; mais surtout, merci pour ces inoubliables moments passés ensemble. Un immense merci également à Alexandre Dabbou, Béatrice Cante, Hélène Hiller, Irene Sorohan, Marisella Yazbeck et tant d'autres que je n'ai malheureusement pas la place de citer, pour vos commentaires bienveillants et sans concessions.

Une pensée pleine de gratitude pour tous les reporters de guerre qui ont perdu la vie dans l'exercice de leur métier et pour leurs familles qui doivent apprendre à vivre sans eux pour que nous ayons le droit d'être informés ; pour tous les autres qui risquent leur vie tous les jours, et tous les idéalistes qui ne se résignent pas et continuent, quel que soit leur métier.

*

Retrouvez l'auteur sur son site internet
www.sandrineyazbeck.fr

Suivez l'auteur sur sa page Facebook :

https://www.facebook.com/Sandrine.Yazbeck.Officiel

Composition : IGS-CP
Impression : CPI Bussière en décembre 2018
Éditions Albin Michel
22, rue Huyghens, 75014 Paris
www.albin-michel.fr

ISBN : 978-2-226-43906-2
N° d'édition : 23261/01 – N° d'impression : 2039165
Dépôt légal : janvier 2019
Imprimé en France